楊家駱教授遺像

楊家駱教授九十冥誕紀念論文集

門人傅武光敬署

楊家駱教授九十冥誕紀念論文集編委會◎編

目　錄

序

傅武光

潘耒〈日知錄序〉說：「有通儒之學，有俗儒之學，學者將以明體適用也。綜貫百家，上下千載，詳考其得失之故，而斷之於心，筆之於書，朝章國典、民風土俗，元元本本，無不洞悉，其術足以匡時，其言足以救世，是謂通儒之學。若夫雕琢辭章，綴緝故實，或高談而不根，或勦說而無當，淺深不同，同爲俗學而已矣！」當今之世，欲尋一如潘耒所說的通儒，那麼楊家駱先生足以當之了。　先生資賦卓異，生長世家，幼承庭訓，才思艷發，早有「南京神童」之譽。曾聽　先生自述，家有藏書樓，號「史纂閣」，在莫愁湖畔，藏書極豐，祖父每曬書，即呼　先生搬書。每搬一書，祖父即爲他解說該書之作者、成書經過、內容宗旨及版本流傳等。　先生皆默而識之。日積月累，幾於無書不知，遂奠定了廣博而深厚的治學基礎。十九歲即獨力完成百餘萬字的《四庫大辭典》，名動一時，深爲蔡元培所重。後來抗日烽火瀰漫神州，　先生展轉流離，不忘治學。最後播遷來台，一方面任教於台大、師大和中國文化學院，一方面經營世界書局，執出版界的牛耳。　先生講學既久，門生日多，所指導的博、碩士論文就有兩百多篇，內容遍及文、史、哲學各領域。門生請益，　先生「手畫口誦，探源竟委，人人各得其意而去」，莫測其學之涯際。弟子們受教門下，皆被裁成爲可與適道的有用之材，遍佈於各大學，傳先生之薪火。　先生待弟子，和藹親切，有如父執，音容笑貌，深印腦海，思之彷彿昨日，而　先生去世已十年矣，弟子們感念師恩浩蕩，不約而同地表示要舉行紀念活動來紀念恩師，於是自動自發地籌備紀念論文發表會，出版紀念論文集。居間聯絡的是胡楚生教授學長，武光則承命彙集論文，編排付梓。凡收紀念論文十五篇，另得先生公子紀念詩文三篇。由論文之篇題，即可窺知當年　先生教學內容之廣及教澤之深；然而這都只是先生學問之「雲霄一羽毛」而已。因爲　先生所傳之學，門弟子僅各得其一體之皮毛，未能展現全貌。如今論文集即將出版，武光原請胡楚生學長作序，胡學長又轉請趙振績先生、金榮華先生、黃慶萱先生等諸大學長執筆，均不獲首肯，而出版社催稿孔急，武光不得已只好承學長之命，綴述　先生治學之點滴與本集出版之原委，以爲之序。

門人　傅武光序於台灣師大國文系

民國九十年五月十二日

父親頌

楊思永

恭獻：先父　楊家駱教授九十冥誕論文發表會

金陵古城映夕陽，
莫愁湖畔詩載船；
「仰風樓」珍書卷萬。
孕育民初紀曉嵐。

少游京城宗師訪，
北大紅樓尋蹤芳；
蔡元培禮聘教授，
倒論史書驚滿堂。

「四庫辭典」出弱冠，
父子聯展釋疑難；
「中國學典」館草創，
經史子集淵流長。

雖值抗戰烽火燃，
川中八年筆未斷；
北溫泉邊鐵瓦殿，
故紙堆裡立史綱。

勝利返滬大業展，
「世界書局」順風帆；
若非內戰狼煙起，
「永樂」「康熙」新一章？

「盛名滿天下，
相知能幾人？」（註）
——重慶英倫李約瑟、
台北芳鄰俞大維：

李約瑟著「科技史」，　　　遙望故國多惆悵，
序言盛讚楊家駱；　　　　文化源頭豈能斷？
俞大維文武全才，　　　　大足石刻銘史册，
茅蘆品茶古意來。　　　　文字時常見報章。

常嘆寶島學界窄，　　　　哥大東亞圖書館，
多爭內耗治學難；　　　　哈佛燕京著作藏；
白髮蒼蒼育英才，　　　　後輩誓懷先人志；
楊門同學皆棟樑！　　　　長江萬里必壯觀！

（註：先祖父　楊紫極宗師家訓）

回憶父親

楊思成

依現代人的眼光，我的父親是一個怪人。在我童年的記憶中，他似乎只要工作，不必休閒。每日下班回家晚餐後，先小睡兩小時。醒來泡杯濃茶，立即開始夜讀與寫作。在台北進入夢鄉的時間，他伏案疾書，到黎明破曉才擲筆。睡三至四小時後，又開始日間極繁忙的工作。如此的習慣，在我大學畢業前的十五年間很少見到他中斷過。

從家人的眼光看，父親是很正常的。我們知道他在做他有興趣的事。每夜的工作，對他而言，比遊戲還有趣。只要興趣高，五小時的睡眠也夠了。

父親唯一的休閒是帶家人星期日上小吃餐館。席上的小菜，常能勾引起他的回憶。年輕時，在北平教書時的小食店是他喜歡的話題。

讀、寫、出版。予其說是他的嗜好，不如說是他的命根子。他對這個工作的態度是極嚴肅的。他雖不見得是以犧牲奉獻爲出發點，但他有某種程度的使命感。

他有另一個很顯然的怪處：他喜好大部頭的工程。當他邁入七十高齡的時候，兒女們都勸他找一個比較容易完成的工程。我曾問他，是否難以找到規模較小而同樣有價值的研究課題？他的回答有些不尋常之處。他說，他手頭的工作雖然重要，但他知道有不少更有價值而較易完成的工程。他不爲這些題目擔心，因爲學術界有人會去做。也會做得比他更好。他唯一擔心的是沒有人去做吃力不討好的工程。這種事要靠傻人，可惜傻人不夠多。他知道他只能開個頭而無法完成。他只希望對後來的傻人有所幫助。再者，有些佚失的古籍如不及早尋訪搜集、並公於世，他擔心會永久散失。他覺得他的工作有其緊急性。

民國七十六年，母親在與癌症奮鬥三年之後與世長辭。其後的兩年間是父親一生中情緒最低潮的時期。接著，又受到頭暈及步履不穩的困擾。在知道腦膜下出血是病因之後，就動腦部開刀的手術。在開刀動手術的第二天，我自美回台，趕到醫院。我預期他應在病床上，但没想到在病房外的走廊上遇見他，他已頗能行走了。就在他剛能行動的第一天，他已經開始談他的新工作計畫了。當我回顧他後幾年的生活，我感覺這一天是他心理狀態的轉捩點。從這時起，他逐漸變得樂觀多了。

民國七十九年，我陪同父親訪美。這是他生平第一次越洋旅行。他對於旅途中的一切都有興致。與孫兒女遊戲至歡。每晨散步極喜歡羅德島州的新鮮空氣及自然風景。但是他最愉快的事莫過於兩個旅行訪問。七月二十日我陪父親拜訪美國國會圖書館。亞東部門主任王臻明博士及胥浩功先生給父親的見面禮是一厚疊的報表。報表中列印在國會圖書館藏書中與楊家駱有關的數百個書目卡片。他們一見如故，相談極投契。細談國際合作的理念及構想。

七月二十四日又拜訪哈佛燕京圖書館。受到吳文清館長及賴永祥教授的熱忱招待。在參觀哈佛珍藏善本書時，父親與一位博學的長者熱烈地討論版本、歷史、紙質、印鑑、筆跡等，似乎是達到腦力激盪的高潮。吳、賴兩位請父親午餐。談了很多合作的想法。午餐後賴教授介紹燕京圖書館當時的研究工作，及哈佛與密西根等大學在電腦連線上合作製中文書卡的資料。父親對於電腦能促進校際合作的前途看好。

父親帶了新的國際合作的計畫回台北。他覺得身心的健康都達到理想的狀況。他不但積極籌畫新工作，他還準備在一年內回大陸探親，訪北京圖書館。

可惜就在父親的精神煥發，準備再出發的時候，突然辭世而歸天。所幸的是他没有受到病痛的折磨。轉瞬之間，他已經離開十年了。若他天上有靈，能知道他的舊友們相聚論學，他將會何等的快樂與驕傲！

我的父親

楊思明

轉眼間父親離開我們即將滿十年了。這十年中我陸續完成了一些父親過世前想完成而未能完成的心願。我於1993年到瀋陽探訪了從未謀面的三叔三嬸及他們全家，也經由三叔的熱心聯繫牽上了和大陸親戚的連線。如今三叔也已過世。1998年我探訪了南京的小姑媽及一些表姊表哥。2000年我探訪了蘇州的小嬸及堂弟堂妹。

從小我印象中的父親就非常忙碌，每天只睡四、五個小時。但他永遠精力充沛，每天忙進忙出，忙著出版事業及教書。雖然他很忙碌，但是周末總不忘記全家上個小館子吃吃。我記憶最深刻的是我們常去一家館子吃螃蟹。每當一大盤堆積如小山般的螃蟹端出來時，衆人都注視著這一大盤螃蟹是那一桌客人點的。只見侍者將那一大盤螃蟹端到坐了四個胖子的一桌上。我們也常去一家餐館三六九吃蟹黃包子或是去吳抄手吃擔擔麵。每當跑堂的以那特殊的四川口音叫著「擔擔麵四碗，一碗不辣」那不辣的一碗當然是我的。他一有機會也會帶我們出去旅遊。我們曾去過石門水庫、蘇澳等地。當中部橫貫公路通車後不久，他也帶我們下台中準備一遊橫貫公路。結果車票難買還在台中住了一兩天。當我讀高中時，一年暑假爸媽和我去溪頭台大林場玩。那時溪頭還未開放觀光。我們去時招待所裡還住著一隊來林場受訓的人員。到了那裡不久有颱風來襲，下山的路因山崩而中斷。我們被困在山上好幾天。下著大雨，招待所旁的一條小溪變成了洪流。更糟的是父親腳痛發作無法下床。幾天後天終於放晴了。幸好來受訓的那批人有輛吉普車，我們就坐他們的車子下到山崩路斷之處，勉强走過去，看看是否能接駁上車輛下山。正好有輛計程車等在那裡。我記得計程車上擠了十多個人，除了座位上擠滿人，行李箱也打開坐滿了人。一路上路凹凸不平，計程車底盤不時會撞到地面。但那位好心的計程車司機不但不在意反而興奮得很。父親好不容易下了山趕快就醫。那時台大醫院的一位醫師診斷出來是痛風，而且說父親是台灣發現的第三個病例。如今到處都遇到痛風的病患真是不可同日而語。

在三兄妹中我是最幸運的，自小受到父親的寵愛。學成回國後除了前兩年在台中路途較遠，有一年赴美研究外，其他的時候每兩星期我們全家大小都會回家和父母親聚聚。每次回家桌上總是擺了一大桌的菜。父母總是拿出最好的給兒女孫子享用。母親過世後，我們一直希望父親搬來鄉下與我們同住安享天年。但父親考慮到許多待完成的事業及老朋友學生訪談學問的方便，一直不願意搬動。

在別人眼中父親也許是知名的學者，而在我們的眼中他永遠是親愛的爸爸。他對子女的栽培與關心，對學問的執著，我們會銘記在心，試著去學習。

楊家駱教授對唐史之貢獻

任育才

楊師家駱教授出生於金陵（今南京）書香世家，早彰岐嶷，夙振異儀。嘗聞　師自言：「生而四乳，故祖、父輩不許其赴學堂就讀，以免童玩嬉戲間識其異相，而妄生不測。蓋因國史中周文王生有四乳，因而相傳四乳者乃帝王之相；而清末民初，封建意識仍濃，不得不有所提防也。」　師因此而未能多受正規學校教育，多賴家學傳承。然　師宏才迥秀，雅操多奇，觀自述有云：「余三歲時，家人授以唐詩，輒能成誦，次年入塾，識字漸多，每晚輒自取王阮亭古詩選、唐人萬首絕句選、姚惜抱今體詩鈔，熟讀二三首以爲常。至六歲，三書所錄二千餘首，皆能自首至尾，背誦不遺一字，……九歲時，　先王考星橋太府君日課點文選注或十三經注疏一卷，自是始知箋注之學……民國二十年，余年十九歲，所纂圖書辭典、百科全書成數種。」（見　師著〈唐詩初箋簡編概述〉）文中所謂「圖書辭典、百科全書成數種」者，係指《四庫大辭典》、《圖書年鑑》等洋洋鉅著也。今之學人多未能遍讀《四庫全書》，而　師於十九歲英年，已能提其綱、撮其要，完成《四庫大辭典》，真乃砥節幼年之學，而蜚聲於弱冠之歲的才子。

楊師治學，精勤浩博，其範圍囊括四部，而尤邃於乙部。

自謂：「駱粗習國史，每以爲自考證以達定論之程序，不外『集、納、衡、證』之所積，『時、空、類、名』之相應……一歷史專題所以必待反復推求而後明者，或以事涉疑似，必祛僞顯真，而後史實之記載可徵信；或以記載紛歧，必辨證疏釋，而後文獻之矛盾可統一；或以文獻殘缺，必探幽索微，構造豐富之想像，撰作生動之文字，而後史實發展之歷程，可一一復活於眼前。能祛僞顯真者有『史學』，能辨證疏釋者有『史識』，能探幽索微、構想撰作者有『史才』。」（見　師著〈日本神武開國新考後序〉）觀　師治史之程序與方法，正是近代「史學方法論」之科學治史法也，以之治史，自易爲「才、學、識」兼備之大史家也。

楊師精勤於史學，其來有自，緣　師曾祖考　新甫公於咸豐五年，榜所居曰「史纂閣」，後裔累世皆以藏書修史爲志業，致金陵故里藏書達三十餘萬册。　師旅臺後，仍榜其讀書著述之所曰「史纂閣」。（見　師主編《新舊唐書合鈔并附編十六種》序）每於熟讀深思有獨得之處，別爲箚記，其於史學者，另寫爲識語。「稱爲識語者，以其非序非跋，而詳略又不同也。」（見　師著《二十五史識語》序）其中〈兩唐書識語〉，對唐史之闕誤，頗多闡幽發覆，非博學審辨之方家，曷克臻此。

楊師對唐史之研究，貢獻良多，著有〈唐實錄的發現及其確證〉，並進而又著〈唐實錄輯考舉例〉，冀由發現而輯考出唐代諸帝之「實錄」。按：「實錄」係當代史官所記注之時事，據實而錄，編年繫月，萃編而成，固史料之上乘者也；今「唐

實錄」僅「順宗實錄」五卷因附於《韓昌黎集》得存外，餘皆久佚。若　師能輯考成書，嘉惠士林豈淺顯耶。惜

師未竟其業而仙逝，然　師已著〈唐實錄輯考舉例〉以明其輯考之法，且列出諸帝實錄類目，已爲後生繼續研究啓一指路燈也。

楊師治唐史，猶有鴻圖，擬褒集現存所有資料，編纂《唐書長箋》。蓋唐代正史，有劉昫《舊唐書》二百卷，歐陽修、宋祁《新唐書》二百二十五卷，二者並行，讀者每覺耗時不便，其後沈炳震積十餘年之力，匯成《新舊唐書合鈔》二百六十卷，新舊參比，復詳爲訂譌，頗稱折衷至當，省卻無數人讀史之心力。　師稱：「駱童年初治唐史，　先王父命取沈書與通鑑唐紀合讀，覺沈書剪裁雖佳，然仍未能盡善……遂有據沈書重注唐書之願。先於册府元龜及通鑑胡注中發現『唐實錄』，輯之以注本紀；又以『通典』、『會要』、『通考』注志；而以所見唐人碑誌千餘通注列傳；並將再以今存唐宋遺籍補其闕，稱爲『唐書長箋』，現已成初稿。」惜此鉅著亦未成書，然　師已將「手邊習用前人治唐書之籍十六種，先列爲『新舊唐書合鈔附編』」（以上見　師《新舊唐書合鈔并附編十六種》序）交由鼎文書局出版。至於正史之兩唐書，　師亦運用其所發明之「中國通用檢字碼表」所編製之「新舊唐書索引」，附於鼎文書局所出版《新唐書》之後，凡此均有利於唐史之研究。

楊師治唐史，擴及唐代詩、文之整理與編纂。蓋詩、文乃學者對所處情境有所感之發抒，亦反映時代之背景，足可補史書之不足。如：《全唐文》及《全唐詩》等，均爲治唐史者所必

讀。然今本《全唐文》頗有疏漏，陸心源曾補《唐文拾遺》七十二卷，《唐文續拾》十六卷。 師博洽多聞，又發現所遺唐文多篇，乃輯爲《唐文三拾》二十卷，惜爲稿本，未能流傳。（見《唐史資料整理集刊》第一輯）至於唐詩， 師原輯有《唐詩初箋》，凡二百六十九卷，惜毀於戰亂，今僅得鼎文書局刊印之《唐詩初箋簡編》，所錄詩凡三百三十三首， 師言：「友人頗有以爲就蘅塘退士本而爲之箋者，其實本編所錄而爲蘅塘退士所遺著，凡二百二十五首。」（見 師著《唐詩初箋簡編》卷首概述）此三百餘首，係以作家時代先後排列，所選之詩，逐句加以箋注，題序亦然；而每位作家，皆蒐集其相關之記載列於名下，可說是一部唐代詩歌史，亦爲研究唐代社會史之好材料。

楊師治唐史，除廣涉文字紀錄外，亦注意及石刻資料。早在艱苦抗戰時期， 師跋涉山嶺，發現四川「大足唐宋石刻」，並於民國三十四年四月組織考察團，前往考察，而就石刻之組合編列爲七區：龍岡區、寶頂區、廣華區、舒城區、石門區、石篆區及妙高區。區中有碑、摩崖、石經、佛雕等甚夥，間有不少題記，甚規模與數量，足堪肩比雲岡、龍門石窟，可謂鼎足而三。（參見 師著《唐宋石刻博物館之發現》）實爲治唐宋佛教史及藝術史之重要資料。

民國五十八年，由 楊師及 傅師秀實等所發起之「唐史座談會」成立，蓋欲結集學術界同好，交換研究心得，增進彼此情誼，以促進唐史研究之蓬勃發展，而爲現今「中國唐代學會」奠定基礎。當時會中決議出版《唐史資料整理集刊》，由楊師主編。民國六十年，即由唐史座談會編刊發行第一輯，計收五種唐史資料，其中〈唐代遺籍輯存〉、〈唐墓碑誌繫年錄初編〉、〈唐碑傳集初編通檢〉三種，皆係　師所輯纂，其便於唐史之研究，自不待言。

總之，　楊師治唐史有新方法、新發現、新見解，尤多唐史資料之輯纂整理，嘉惠學者甚大。僅就所知，略述如上，聊表追思之意。

楊家駱教授對遼史的貢獻

趙振績

契丹民族，宗於奇首可汗，派出檀石槐。（耶律羽之墓誌銘）阿保機於916年建國號曰契丹，其二子德光（太宗）於937年改國號曰大遼，聖宗統和元年（938年）改號大契丹，道宗咸雍二年（1067年）又改號曰大遼，遼朝享國210年（916～1125）之久，歷經九汗。

遼亡國二一八年之後，至元順帝至正三年(1343年)四月才詔脫脫監修遼、宋、金三史。遼史於次年三月修成，首尾不及一年，遼史之修，以耶律儼之遼實錄、陳大任之遼史爲主，參以契丹國志及資治通鑑爲藍本。遼史在二十四史中是最爲人詬病之正史，莫過於錢大昕集中云：遼史闕漏，趙翼在二十二史箚記中云：遼史最爲簡略。因有清朝乾隆厲鶚才撰遼史拾遺，厲氏拾遺羣書約三百五十三種，其中頗有今已失傳獨賴厲氏引用始得見其佚文者。惟厲氏所見《續資治通鑑長編》非全本，所引《册府元龜》每與原文不合，況一史實有數卷所記不同之文未引且多遺漏，凡此之類遼史長箋中已分別就原書錄補矣。厲氏採摭羣書三百餘種，均以旁見側出之文，參考而求其諸端，年月事蹟，一一鈎稽，其補禮志、樂志、輿服之金冠窄袍，食貨志補賦稅名目，皆採輯遺散佚，足備考證之用。厲氏詩集中，自稱所注遼史，比之裴松之之三國史注，亦不誣也。厲氏之後楊復吉繼採厲氏未及得見之舊五代史，契丹國、宋元通鑑、棄置孔多，而以散見他書者附益之，得四百餘條，名爲遼史拾遺補。陳漢章氏遼史索隱釋遼史的疑義，地理、河流的今日位置流向，頗具功力。馮家昇遼史初校與羅繼祖遼史校勘記，不僅校勘遼史的誤字，兼釋其疑義，對於遼史補注很有裨益。遼史地理志的地形舛錯者十之一二，引古舛錯者十之五六，多引用李慎儒的「遼史地理考」五卷補之。

楊師家駱自幼授教吳丈士鑑撰之《晉書斠注》，以爲提要之說未盡，乃立十例以授駱：曰溯源、曰捃逸、曰辨例、曰正誤、曰削繁、曰考異、曰表徵、曰補闕、曰實證、曰存疑。駱據以撰《遼史長箋》初稿已具，囑振績續成之。（三國志識語頁二）楊師幼慕《狄岱麓百科全書》、《牛津大辭典》之爲書，奮其私力，傾其家財以編著《中華大辭典》，忽而四十餘年，手披四部諸籍，成書約十餘部巨著之多，編印中國學術名著數千種。凡具有涵容可助於釋辭，卒以成《中華大辭典長編》稿一百數十萬條，已改編成稿，在日本《大漢和辭典》十二卷、索引一卷、補遺一卷已刊行（據島田正郎教授函云）。遼史長箋稿中資料，亦有其中一部分。

楊師家駱先生曾受中國文化大學張創辦人曉峯先生於民國五十餘年之委託，點校遼史，楊師爲徹底整理遼史有鑑於其師吳士鑑《晉書斠注》的體例，因而策畫出《遼史長箋》輯遺的體例，交由蔣楊侯先生及振績協助整理。使遼史由簡而繁，由闕而全，使遼史由四十萬字，箋證成四百多萬字用書四百餘種之多。如此遼史長箋，與張創辦人點校二十五史體例不合，張創辦人指示，則由楊師領導我等負責自己去作，與點校二十五史脫離關係，而遼史的點校工作張創辦人改聘張興唐先生爲遼史點校工作，由振績複閱也未完成，未曾出版。

先是駱師抗戰前，已聞陳述教授有志《遼史補注》之作。並請陳寅恪教授於民國 31 年 11 月 19 日於桂林雁山別墅寫《遼史補注》序(遼金史論集共五輯)據振績得悉、陳氏《遼史補注》由其令女陳正講席繼續其工作，現已成稿一百二十萬字，並交中華書局發排中。陳述教授曾輯《遼文匯》，陳氏可能據此書完成全文。

遼史長箋抄資料稿初成，爲姚故從吾教授和日人島田正郎博士教授，驚爲奇蹟，建議整理成《遼史長箋》出版，謂均足以代表中國人對遼史業績，故楊師於民國五十四年（1965年）就〈遼史長箋卷六三完成遼史世表長箋〉並標副題曰〈遼太祖建國一千一百年契丹史料輯考〉遼史世表原文約三千，世表長箋約十萬言。自炎黃之後，鮮卑爲匈奴所敗，鮮卑衆散爲慕容氏、托跋氏、宇文氏、或庫莫奚、或契丹，將契丹民族的世系史料箋證得齊全。學生振績據以史料整理考證爲博士論文〈契丹族系源流考〉大賀氏、遙輦氏迭剌氏世系可汗博士論文史料的一部分。不僅如此大陸研究遼史學者的著作，亦莫依此爲依歸。中國的邊疆民族自禮記王制篇：東九夷，南八蠻，西七戎，北六狄。次就是魏書序紀起自黃帝以土德王，北俗謂土爲托，謂后爲跋，故稱托跋氏，積六十七世，至成帝諱毛立，統國三十六，大姓九十九。以三十年爲一世，約二千年的歷史，而托跋氏立國與契丹賀蘭氏互爲婚姻，故契丹音讀賀蘭氏，而賀蘭氏與鮮卑托跋氏關係密切。遼史世表是沿之魏書序紀體例而來的。魏書卷一一三官氏志，含有一一八族，對於中國邊族的史料貢獻很大，振績依此體系完成契丹族系。況《遼史長箋》比之於裴松之三國史注，亦不爲過也。論新、舊唐書與新舊五代史之優劣，很難定論。而就蒙元史而言，主要有蒙古秘史、史集、聖武親征錄以成吉思汗、窩闊台汗爲例，其史料價值，是以蒙古秘史爲佳，民族由來亦然。以元史爲基礎與元史類編、蒙兀兒史記、元史新編、新元史、元書以本紀等相較，元史以十三朝實錄爲主，後來新編元史，將元史重要繁雜史料刪除，而將其綜合史料引用，而新增加的史料有限。以蒙古秘史尼倫（同血緣）氏族爲例共二十氏族，自哈塔斤氏族以下，均有世系系統可循，較之史集尼倫氏只有十四主氏族五分支氏族，共十九氏族；多桑蒙古史十一主氏族九分氏族共二十氏族；元史譯文證補共十五氏族；蒙兀兒史記共十七主氏族；新元史四主氏族十六分氏族，共二十氏族，由以上蒙古秘史尼倫氏族與後來修譯之元史相較，不僅未有後來居上，反而漏列主氏族，而以分氏族誤爲主氏族，真所謂錯誤百出（振績：蒙古尼倫氏族溯源附表二）因之由上述所證，新修史不一定較箋證史來得完美。

楊師對遼史長箋史料供獻，將編整的永樂大典中有關史料的運用於續通鑑長編拾補的整補上，將中央圖書館的朱絲欄明初的手抄本缺遼景宗二、聖宗一～五等六卷，以永樂大典之遼史補全。振績曾以百納本遼史本紀校對過明初手抄本殘缺本紀。楊師爲了查閱《遼史長箋》常用主要史料方便則編成《遼史彙編一》共分十册：第一册主要内閣大庫珍藏精抄本遼史、楊師家駱撰遼史世表長箋一卷，日人若城久治郎編遼史索引一卷。第三册：清厲鶚撰遼史拾遺、清楊復吉撰遼史拾遺補、遼史殿本、局本考證彙編清江蘇書局編、近人陳漢章撰遼史索隱、馮家昇撰遼史初校、羅繼祖撰遼史校勘記。第四册清李慎儒撰遼史地理志考五卷、第六册近人孟森撰遼碑九種尾一卷、宋敏求撰：宋致遼國書一百二十三通。宋葉隆禮撰：契丹國志二十七卷首一卷。以上各書是《遼史長箋》引用最多。《遼史彙編一》全書共計七十五種，論文七十九篇。另楊師主持編輯古今圖書集成各部列傳綜合索引，摘出遼史一百五十五傳記史料，共分一皇極典、二宮闈典、三官常典、四氏族典、五閨媛典、六藝術典、七神異典、八經籍、九學行典、十文學典、十一文字典、十二戍政典、十三祥刑典、十四考工典。補入《遼史長箋》中，較遼史列傳分類中后妃、宗室、文學、能吏、卓行、列女、方技、伶官、宦官、姦臣、逆臣、外記十二分類中，分類標題不一樣，其撰寫重點觀念亦有異。

遼史長箋資料由原書分條輯出，由振績趁在文大史學系開遼金元之便，由高志彬同學負責將遼史長箋輯出資料分配給全班同學按順序抄錄，上學期完成第一稿，下學期抄成第二稿。長箋字數繁多，曾接洽無人肯出版，楊師付托遺稿久存舍下益增不安，幸蒙新文豐出版公司高董事長本釗先生，以發揚中國文化爲己志，慨允出版，並徵詢台大歷史系王德毅教授意見，復經王教授鼎力促成，得償宿願，特此誌謝。《遼史長箋》史料曾經原書錄出，再經二稿抄寫不免有錯誤。雖經振績將本紀二稿大部對過原書經打字稿再由汪文雋同學先校遼史文再交輔大夜間部修宋遼金元史學生校對過原書，仍會有錯誤煩勞東吳大學蔣武雄教授代校太宗本紀等特此致謝。振績以遼太祖紀上校對原書，連《册府元龜》原文亦有三個錯字，況本稿錯誤難免，尚祈賢達多加指正。

楊家駱敎授對宋代文獻整理的貢獻

王德毅

金陵楊家駱（1912～1992年）教授，可稱爲當代之博學鴻儒，經史子集皆嘗涉獵，在民國五十年代主持世界書局時，所編刊之《中國學術名著》第一至六輯，包有自先秦至清末民初之歷代古籍和近世名儒之著作，風行海內外，其傳古之功，實不亞於羅振玉。至六十年代，爲鼎文書局編印《中國歷代詩史長編》，整理重印《古今圖書集成》，並附編了一本《列傳綜合索引》，檢索極便。於歷代正史，則將大陸出版之新校本彙印，每一史後皆增印附編，多者至二十多種，其前則特撰識語一編，以說明其旨歸，並附了世界書局所印之各史述要，極便利各大學史學研究所學生就其所研究之斷代購藏。於遼代史則又特別編《遼史彙編》，洋洋十大册。這些重要歷史文獻的陸續編成出版，嘉惠史學界太大了。

楊教授對於宋史極有研究，特別稱揚宋代史學最爲昌盛，尤重當代史學之編修。曾說：「駱每推原宋代史學特盛之故，朝廷之鼓勵，士林之推崇，故與有力，其尤要者，則以宋儒治理學，遂善於運思，而復重躬踐，既知史籍爲國家興衰，生民休戚之所繫，察俗布政，鑑往知來之所資，於是網羅遺文，羣起秉筆，宋代史學之特重當代者，亦以此也。」（見〈續資治通鑑長編新訂本序〉）遂認爲理學與史學是相輔相成的。要想挽救今日浮薄的風氣，就應從自己開始，學習宋朝士大夫的篤行踐履。今日傳世的《宋史》，是元朝脫脫所監修的，基本上是依宋史館所修國史的原本，自太祖至寧宗十三朝皆已修成，理宗以下只完成部分列傳，元朝最初遷延未修，後來倉卒成書，因而冗雜蕪漏。明清之學者多想重修，然他們所修成的書，如柯維騏《宋史新編》，王洙《宋史質》，王惟儉《宋史記》等，都不足以饜學者之望。所以先生認爲與其重修新史，不如廣泛使用宋人所留下的大量史料，爲舊史作注或補遺，因而於民國五十一年六月首次提出《宋史纂注》、《宋史補編》之兩大編輯計畫。進行的辦法是先組成一個編輯委員會，集合志同道合的專家學者，先以《續資治通鑑長編》、《宋太宗實錄》殘本、《三朝北盟會編》、《建炎以來繫年要錄》、《皇宋十朝綱要》、《皇朝編年綱目備要》、《中興編年備要》、《皇宋中興兩朝聖政》、《兩朝綱目備要》、《宋史全文》等編年史體之史書，再配合其他相關朝代紀傳體史籍，如《遼史》、《金史》、《元史》等，以注《宋史・本紀》；以《宋會要》、《文獻通考》、《建炎以來朝野雜記》、《羣書考索》、《玉海》、《諸臣奏議》等，注《宋史》諸志。以宋及元初約四百家別集中碑傳誌狀，及《東都事略》、《宋名臣言行錄》、《名臣碑傳琬琰集》等，注《宋史列傳》，再以注紀傳之各種史料來注《宋史》宰輔表；則可粗成《宋史纂注》。凡《宋史》所失載之事，所闕漏之傳，則加彙輯，可成《宋史補編》一書。這實在是一項規模宏遠的計畫。只可惜没有人響應，更得不到政府的大力支持，以私人之力是無法之實現的。然此計畫，先生念念不忘，到了民國 67 年 7 月，又在所撰〈宋史識語〉中重新提出，當時德毅與友人合作編成之《宋人傳記資料索引》六册已經由鼎文書局出版，先生於欣慰之餘，乃於文末附識說：

> 今敝局既將《宋人傳記資料索引》編輯完畢，《宋人雜史雜著彙編》亦在輯錄中，進而據此以成昔所奢言之「宋史纂注」、「宋史補編」，或非無望。謹識之於此，以為左券。（鼎文版《宋史》前附〈識語〉）

先生這一期待，至今仍無實現的希望，興念及此，不勝感傷。我想如果由學術機構提出周詳計畫，申請國科會補助經費，聘請研究宋史的博士生相佐，就不難完成了。

楊教授既有志於爲《宋史》作纂注，乃首先彙印李燾《續資治通鑑長編》，以清光緒七年（1881年）浙江書局校刻五百二十卷本爲主，配合黃以周等輯浙江書局刻《續資治通鑑長編拾補》六十卷，又從《永樂大典》宋字韻中發現卷一二三〇六至一二三〇八，卷一二三九九至一二四〇〇，卷一二四二八至一二四二九及一二五〇六至一二五〇七，共九卷，全錄《續通鑑長編》原文，用以取代浙刻輯本。爲了說明本書的重要性，乃撰《續通鑑長編輯略》四卷，凡分八目，共十餘萬言。

其一爲《李燾碑傳錄》，首先在今存《永樂大典》殘帙中找到〈巽巖先生墓刻〉一文，乃燾之第六子壁所撰，早年傅增湘纂輯《宋代蜀文輯存》所未嘗得見者。另錄周必大撰〈李文簡公神道碑〉及《宋史》本傳，爲研究李燾仕宦和修史貢獻的第一手史料。

其二爲〈續資治通鑑長編四次奏進始末考〉，輯錄四次奏進的有關史料，徵引史籍十多種，有所未盡者，又特輯宋元以來及近人著作相關資料爲〈長編綜述〉附於其後，對李燾的史學貢獻，更有進一步的了解。

其三爲〈續通鑑長編傳本考〉，依宋、元、明、清四朝時序，列舉諸家書目著錄情形，全錄各藏書家之跋語和提要，特別詳述浙江書局刻本之校刻義例和浙撫譚鍾麟序文。

其四爲〈永樂大典散引續通鑑長編考〉，謂除宋字韻全錄《續長編》外，就今存八百多卷《大典》殘本中，逐卷查閱各韻字下所引典籍，凡題《續通鑑長編》者，皆抄輯下來，與今傳世之四庫全書館臣輯五百二十卷本校對，有文字全同者，有文字微異無關史實者，有差異稍大者，有四庫輯本所缺者，以是足以說明《永樂大典》所保存之宋代史料十分豐富。

其五爲〈永樂大典所引九朝長編紀事本末考〉，引錄數十條，其差異性是相當大的，非運思精細者不能成其功。

其六爲〈李燾著述考〉，分列所奏進書和奉敕修書，以及自著之書今存者，均一一爲之徵引各種典籍詳加介紹。又附了七十一種著作總目和爲前代及當代名家著作之序跋，至爲詳盡。

其七爲〈李燾家學考〉，列舉其弟熹，子垕、壁及𡌴等之著作，並各附載了他們的傳記文獻，以備專研宋代史家與史學者參閱。

其八爲〈南宋諸家據續資治通鑑長編所成史籍考〉，經考證而得有：張洽《續通鑑長編事略》，此刪爲節本。陳均《皇朝編年綱目備要》，此改編爲綱目體者。楊仲良《皇朝通鑑長編紀事本末》，此改編爲紀事本末體者。宋代史家重視當代史的纂修，而編年史體尤盛，其著作流傳於今者尚有李𡌴《皇宋十朝綱要》二十五卷，述太祖至高宗。劉時舉《續宋編年資治通鑑》十五卷，述中興四朝。李心傳《建年以來繫年要錄》二百卷及熊克《中興小曆》四十卷，皆述高宗一朝。不著編人的《宋史全文》三十卷，述太祖至理宗。不著編人《皇宋中興聖政》六十四卷，述高宗、孝宗兩朝。此皆是繼李燾而發憤述作者。

除上述《輯略》四卷外，另編《續資治通鑑長編年曆目錄合編》九卷，以一帝爲一卷，分紀年，長曆、陽曆，新定本卷次，據本原卷次，共五欄。紀年並列民元前，西元及宋紀元，下附遼和各僞國之紀元，兼注干支。長曆記宋朝之月朔，當日爲陽曆某月某日，其下註明卷次，查閱極方便，對研讀本書者，提供一項新的服務。敝意先生所以不憚其煩的編此《目錄》，乃爲啓迪一項新的研究，在先生所撰的〈續長編新定本序〉中有一段說明：

> 燾《長編》重定全本，原附《修換事總目》十卷，《舉要》六十八卷，《并卷總目》五卷，卷各為冊。……燾〈進書表〉未言「并卷」二字究何指？……玆假定燾《并卷總目》分二欄，上欄年曆，下欄卷次，一年之下，所繫有多卷，而不復列其事目，免與《舉要》相複重，絕不能不附年曆以資比照，而燾之師法於（司馬）光，已成其難，亦必

> 不避其易。今燾書之《并卷總目》既不存，則駱為補輯《年曆目錄合編》，於光創體之旨，燾步趨之意，度亦兩得。不曰「并卷總目」者，以「年曆目錄合編」一稱，睹題易識，且不能確知燾《并卷總目》其體果如此也。

目錄之作，本爲便於檢索，將事目和年曆合而爲一，是由司馬光《資治通鑑目錄》創爲的，李燾遵光之義例，其《長編修換事總目》是以事目爲主，則《并卷總目》當是以年曆爲主，這或許是楊教授序文的本旨。

《續資治通鑑長編》出版後，研究宋史的學者如獲至寶。在當時線裝古籍難以借閱，書局能影印傳世也是一大功德，更何況又特別加工增編新研究成果呢？繼此以後，又於民國 53 年影印北平圖書館出版之《宋會要輯稿》，特編了一種詳目附排在首册，分詳目、頁次、各節標題、原錄自《永樂大典》卷數四欄，甚便查考，比原刊所編總目方便多了。

德毅於民國 50 年秋始與楊教授奉書請教編撰李燾年譜之事，蒙先生回函嘉許，並告知新發現之〈巽巖先生墓刻〉。及相關史料，先生獎掖後學情摯意深，隨後即將新撰〈補宋史李垕傳〉寄呈請正，又蒙先生收入《長編輯略》卷四上〈李燾家學考〉中。四十年來，德毅深感先生知遇之恩，適蒙胡楚生教授告知有紀念楊教授九十冥誕學術研討會之事，特爲此文，以表彰先生對宋史研究的貢獻。

楊家駱教授對永樂大典學術研究之貢獻

顧力仁

明成祖敕撰《永樂大典》，將「書契以來經史子集百家之書，至於天文、地志、陰陽、醫卜、僧道、技藝之言，備輯爲一書。」①書凡 22937 卷，共 11095 册。《永樂大典》之纂修係依據明文淵閣藏書，其中蘊含五代、十國、宋、遼、金、元諸朝累藏典籍，所以引用許多奧籍秘典，《四庫全書》即稱「元以前佚文秘典，世所不傳者，轉賴其全部、全篇收入。」②故《永樂大典》對於後世具有輯佚、校讎等多方面的價值及影響。楊家駱教授治學以四庫爲經，目錄爲緯。本文就出版流傳、書體考證、索引編製及輯佚整理等四方面，分述先生對於《永樂大典》學術研究之貢獻。

一、蒐集出版，流傳行世

《永樂大典》因卷帙浩繁，故書成時衹繕寫一部，後於明世宗嘉靖年間至穆宗隆慶年間另抄錄一部副本，世稱「嘉隆副本」，原帙不幸被焚，今日所見存世的《永樂大典》，即爲嘉隆副本的殘本。1960 年大陸中華書局依據北京圖書館等單位所藏的大典原本及仿鈔本、傳鈔本、攝影本、顯微膠捲等共 730 卷，複製出版。③民國 51 年至 52 年，臺北世界書局由楊家駱教授主編，再蒐集到當時國內中央圖書館所藏大典 6 卷、中央研究院歷史語言研究所 2 卷以及海外西柏林人種博物館（Museum Fur Volkerkunde）東亞部 7 卷，景印《永樂大典》存本 742 卷，另加上《連筠叢書》所收《永樂大典目錄》60 卷，共 802 卷，以二十二開本精裝一百册，係單色影印，另將原朱筆書名標列在書眉。④

楊家駱教授蒐集出版，流傳行世的《永樂大典》存本，具有以下兩個特色：

㈠收錄《連筠簃叢書》內《永樂大典目錄》60 卷，⑤《連筠簃叢書》爲清道光年間楊尚文所輯刊，《永樂大典》殘餘有限，幸有這 60 卷目錄的刊刻流傳，藉供吾人瞭解《永樂大典》的凡例及卷帙內容。

㈡收錄明代官方所編定的《洪武正韻》，⑥以明其爲《永樂大典》編次之所本，另可據以瞭解《洪武正韻》和《永樂大典目錄》在用韻方面的不同。

二、考證書體，探究編製

楊家駱教授在主編印行《永樂大典》存本的過程中，特就該書的編製原委加以探究。撰成〈書體探源〉一卷，該文有助於瞭

解《永樂大典》編撰的源流，藉以辨章學術，現迻錄〈書體探源〉一文要點如下：⑦

㈠唐顏真卿所編《韻海鏡源》爲《永樂大典》書體所本，《韻海鏡源》爲以韻隸字之祖，該書「釋單字與複詞一於一編，尋韻目或部首以檢尋，具近代辭典之形式，有百科全書之規模。」

㈡明代所編的韻書包括《回溪史韻》及《韻府羣玉》，明成祖由嗜覽《回溪史韻》及《韻府羣玉》，引發敕撰一規模空前宏大之「韻類之書」，此亦爲《永樂大典》纂修之主要成因。

㈢根據《永樂大典》的收錄範圍、《永樂大典》遵照《洪武正韻》的順序來編次以及《永樂大典》在各字「音義」下廣收諸家之說這幾點來看，可以歸納出《永樂大典》的編製體式實係以《韻海鏡源》爲依據。

㈣《永樂大典》所收的韻腳超出《洪武正韻》甚多，可見另有所增，大典所據正韻，當係明太祖命儒臣就《洪武正韻》重加校正，並添補改正的《韻會定正》。

《永樂大典目錄》內雖有凡例二十一則，可以瞭解該書的纂修體制，但楊家駱教授認爲根據此二十一則凡例，並不足以盡當年纂次之體式，所以從目錄學的角度撰此〈書體探源〉，以提供吾人瞭解當初大典纂修的主要成因及編製體式。

三、編製索引，便利尋檢

《永樂大典》係「用韻統字，用字繫事」，《四庫全書》曾評爲「割裂龐雜，漫無條理，各韻轇輵，踳薄乖雜。」⑧楊家駱教授曾編製多重索引，以進一步的瞭解和利用《永樂大典》，分述如下：⑨

㈠永樂大典存本引用書索引：永樂大典引用書籍，包羅萬象，現存殘帙所收引用書名約一萬餘種，「引用書索引」以引用書的書名爲款目，按筆順排列，著錄作者姓名、時代及出處。由於同一書在書中前後所引的書名不甚一致，故另以「互見」彼此參照，例如：宋史長編、宋通鑑長編、通鑑長編、續宋鑑長編……見「續資治通鑑長編」。

㈡永樂大典存本事詞索引：大典「用字繫事」，故取經史子集內兩字以上的「複詞」編入本韻，再詳引各書有關記載，此「標題隸事」體將各書中有關同一事之敍述彙總一處，例如：卷 13496「制」字下有「太后稱制」一詞，將史記、漢書……中有關「太后稱制」之事文彙而列之。事詞索引即將大典內事詞一一摘出，並錄其出處。

㈢永樂大典韻字及內容索引：將《永樂大典目錄》內所收之字，按筆畫排列，並標示其中所收「事詞」，例如：「梅」，卷 2808 總序、早梅、古梅……，卷 2809 紅梅、朱梅……。此索引和前述「事詞索引」可互相補充，因大典取「字腳韻」，早梅、古梅、紅梅……皆置一處，若按事詞索引，則分屬於早、古、紅……各字下。

㈣永樂大典目錄夾註分類索引：《永樂大典目錄》多達六十卷，查檢不便，本索引將目錄下夾註各卷所收內容文字，依其性質的不同分爲十類，皆標注出處，以便檢索。

㈤永樂大典存本傳記資料索引：大典內所收傳記資料頗爲詳博，可補充史傳之闕，本索引摘錄大典各字韻下之「姓氏」及其他有關傳記資料，如「王」字下「宗室封王」等，彙而錄之，依姓名筆畫排列。

四、從事輯佚，整理古籍

「輯佚」爲收集並編纂久經散佚古書之片斷文句，以恢復古書，類書因爲引用大量的原始文獻，而引用文字悉照原文抄錄，且引用出處一一註明，所以類書有保存遺佚的貢獻。清代學風重視考據，故輯佚學興盛，從《永樂大典》中輯佚甚受重視，清儒全祖望、方苞、杭世駿皆曾自《永樂大典》中鈔輯佚書。清高宗更採朱筠建議，輯校《永樂大典》中不常見之書，以備著錄，爲大規模輯錄大典佚書之始，也開纂修《四庫全書》之端緒。楊家駱教授重視《永樂大典》輯本對學術的影響及貢獻，上述對《永樂大典》的蒐集出版、探討書體以及編製索引，其最終目的即在於從事輯佚，整理古籍。以下舉例說明楊家駱教授就《永樂大典》從事輯佚、整理古籍的若干工作：

㈠自《永樂大典》中發現元代政書《經事大典》：《永樂大典》將元代政書《經事大典》全書割裂，而依其門目按事韻輯錄，故清儒曾從大典內輯得《經事大典》的若干門目，如〈大元倉庫記〉爲《經事大典》工典中倉庫門，〈元高麗記事〉爲《經事大典》政典中征伐門內高麗一目。楊家駱教授在《永樂大典》存本中發現散見於各卷中引用《經事大典》的原文約有五六十萬字，多足補正史所記政治設施之遺漏及錯誤。⑩其後更指導學生以此爲題材，撰寫博士論文。⑪

㈡根據《永樂大典》校讎比勘：《永樂大典》創編於明初，故其中引書猶屬宋槧善本，楊家駱教授彙印《永樂大典》時，發現其中所引《水經注》四十卷全本具在（上升八賄「水」字下11127-11141「水經一～一五」），乃就《水經注》第十卷（渭水中卷）彙列永樂大典、戴震樣本、趙一清「水經注釋」、楊守敬「水經注疏」等四本核其異同，以資瞭解各本的關係及正確性。⑫

㈢自輯本還原《永樂大典》：由類書可迻錄佚書，亦可由輯本還原類書，此即前人所謂：「若干舊籍原賴大典以傳，今大典云亡，則反依輯出諸書，略存面目。」⑬後世根據《永樂大典》所輯佚書多達500餘種，故楊家駱教授提倡「輯永樂大典佚卷」，⑭輯本若註明出處，如《經事大典》，固可據以復原；即或輯本未註明出處，間或另覓他途歸次於《永樂大典》內，如宋李燾《續資治通鑑長編》重定本全錄入「宋」字下，復散引於「宋」字下各卷中，則推定「大典」殘帙與「長編」輯本之關係，再舉以還原。⑮

五、結語

後世對《永樂大典》固然有許多批評，優劣互見，但從《永樂大典》中可輯佚古籍，復見於世，對提供學術研究資料甚具價值，《四庫全書》自《永樂大典》輯出佚書多達四百種，即其著例。《四庫全書》以來從《永樂大典》輯出的佚書復有近二百種，但依舊有許多可資輯錄之資料，如宋金元詩文、宋元方志及宋人筆記，楊家駱教授也曾提議編「永樂大典宋代史料佚文輯存」，⑯先生對《永樂大典》的研究，自蒐集出版，流傳行世著手，繼以考證書體、探究編製，復編製索引，便利尋檢，並且實際從事輯佚、整理古籍，又自輯本來還原《永樂大典》，凡此多方面的研究，不但盡發《永樂大典》的價值，也對吾人從事古籍整理、善用學術資源多所啓迪。先生治學精勤，甚重視治學門徑的方法及學術資源的掌握，多年來投諸心力研治《永樂大典》，堪稱近世以來對《永樂大典》的學術研究最具貢獻的學者。

註　釋

①《明實錄附校甚記》（臺北：中央研究院歷史語言研究所，民 53 年），〈明太宗實錄〉卷 21，冊 10 頁 393，永樂元年秋七月丙子條。

②《合印四庫全書總目提要及四庫未收書目禁燬書目》（臺北：商務印書館，民 67 年），〈四庫全書總目〉卷 137，子部類書類存目一，冊 3 頁 2840～2841，永樂大典提要。

③《永樂大典》殘七三〇卷目錄一卷二〇二冊（北京：中華書局，1960 年）。

④《永樂大典存本並前編附編》八六五卷一〇〇册（臺北：世界書局，民51年）。

⑤（明）姚廣孝等奉敕編：《永樂大典目錄》六〇卷，連筠簃叢書本，同上註，册三、四。

⑥（明）樂韶鳳等奉敕選：《洪武正韻》一六卷，明初黑口本，同註④，册一、二。

⑦楊家駱：〈永樂大典輯略〉，同註④，册1頁2～22。

⑧同註②。

⑨永樂大典整理的方法除編製索引外，尚包括編製書目、考證內容及撰寫提要，詳見顧力仁：《永樂大典即其輯佚書研究》（臺北：私立東吳大學中國學術著作獎助委員會，民74年），頁186～231。

⑩楊家駱：〈元政書經世大典之發現〉，《仰風樓文集初編》（臺北：楊門同學會，民60年），頁935～937。

⑪蘇振申：《元政書經世大典之研究》（臺北：中國文化大學出版社，民73年），日本明治大學文學博士。

⑫楊家駱：〈水經注四本異同舉例〉，《學粹》4卷5期（民51年8月），頁10～20。

⑬程會昌：〈清孫馮翼四庫全書輯永樂大典本書目鈔本鈘〉，《圖書館學季刊》9卷2期（民24年6月），頁286～288。

⑭楊家駱：〈中國學術名著要旨第四輯——永樂大典民國52年3月30日全書出齊時發表之要旨〉，《中國學誌》（臺北：楊門同學會，民60年），頁935～937。

⑮同註⑨，頁395～400。

⑯楊家駱：〈續資治通鑑長編新定本序〉，《續資治通鑑長編新定本》（臺北：世界書局，民57年），册1頁12。

楊家駱教授對叢書學之貢獻

莊芳榮

楊家駱教授生於書香世家，其曾祖及祖父藏書甚豐，多達數十萬冊，並以「史纂閣」、「海風樓」聞名於世，楊家駱教授於二十歲編成《四庫大辭典》，又設立「中國辭典館」於上海，二十五歲出版《叢書大辭典》，其後陸續出版《中國文學百科全書》篤志於學鉅著數十種。畢生致力於中國學術的整合，貢獻良多。本文分述楊家駱教授對「叢書」的提倡、編印以及叢書檢索工具的編製，以瞭解他藉「叢書」來整合中國學術的貢獻。

一、叢書學為整合中國學術的奠基工作

楊教授從事中國學術的整合工作，以建立叢書學爲其第一里程，藉此使先民的智慧遺產，能有系統的作整合的呈現。叢書起源於唐宋，但早期的叢書，如：唐陸龜蒙的《笠澤叢書》、宋王楙的《野客叢書》，有其名而無其實。真正名實相符的叢書自宋寧宗嘉泰元年俞鼎孫的《儒學警悟》爲其濫觴，可稱爲近世叢書之祖。「叢」有聚集的意思，又有衆多龐雜的含意，所以叢書網羅羣籍，無論經史子集，皆無所不包。張之洞曰：「叢

書最便學者，爲其一部之中，可賅羣籍，蒐殘存易，爲功尤鉅，欲多讀古書，非多買叢書不可。」①由此可知叢書對保存古籍著述、提供研究資源的功效。根據楊教授的統計，今存中國歷代典籍僅約十萬種左右，其中單行散刻流傳的不過十之二三，其餘七萬種端賴叢書的輯刊而流傳，由此可見叢書在中國典籍中的地位。②

二、編成叢書大辭典，便利檢查叢書

叢書既薈萃羣籍，兼便學術研究，所以自清以來陸續有簿錄叢書的專目，清嘉慶四年顧修《彙刻書目》爲叢書專目之祖，繼此有三十幾家，楊家駱教授綜合歸納出諸家的缺失有以下四點，分別是：㈠斷限不嚴，㈡序列無法，㈢書無提要，㈣刊人無傳。③楊教授費時十餘年，在民國25年，編成《叢書大辭典》，這是一部辭典式的叢書目錄，包含叢書的總目、叢書子目的書名以及著者在內，該書序例說：「本書所收叢書約六千種，子目十七萬餘，都凡一百二十餘萬卷，四庫全書、釋道兩藏，尤不與焉！與舊目較，姑不論編纂之得失，以言數量，無能逾其半者！」④一般而論，檢查叢書包括以下四個途徑，分別是：欲檢某叢書內含有某書、欲檢某書在叢書內、欲檢某人所刊之叢書、欲檢某人所著之事散見於某叢書內，使用《叢書大辭典》此一工具無論檢查以上何者都可達到。姚名達《中國目錄學史》稱許此書有兩個特色，分別是：⑤

1. 依四角號碼檢字法爲順序，讀者無論從何方面聯想，以分秒之光陰，即可找得其所欲得知資料，便利及矣！

2. 此辭典收叢書多至六千種，抱寧濫無闕之旨，蓋工具書與著作不同，此義亦良可取也。

三、提議纂修「中華全書」，以叢書的方式整理中國典籍

民國 35 年間，時值抗戰末期，有鑑於戰爭中圖籍屢遭劫難，故網羅散佚、輯拾叢殘爲當時的急務之一，楊家駱教授代擬了一個提案，建議政府，普設機構，推廣四庫全書的義例，纂修「中華全書」，以利文化建議。⑥這個提案實際上就是「以『叢書』的方式來整理中國典籍」，辦法中提到要在各省市縣設立省市縣全書館，在國都設立全國性的「中華全書館」，分別延聘學者籌組委員會，處理編刊及聯絡事宜。實際的作法爲先蒐集市縣內古今著作、各書悉撰提要，並彙爲總目提要，附加考證，另彙修本地的「方志」、「年鑑」、「文存」、「圖徵」……等合成「某市縣全書」，再依此方式由市縣到省到全國，合成「中華全書」。此案曾在當時的國民黨二中全會通過，惜籌備未畢，大陸淪陷，此議遂寢。

楊教授來臺後，續就以上「中華全書」的提議略變更其方式，繼續進行他心目中的「中國典籍之整理工作」，實際的作法包括以下四種，分別是：⑦

㈠單元式叢書：民國 40 年間楊教授主持世界書局的編政，以「中國學術名著」爲總稱，繼續進行叢書的編刊，陸續

編成六輯，其中包括數十部「單元式的叢書」。

㈡斷代式叢書：楊教授先後草成先秦、兩漢、三國、兩晉、南北朝、唐五代、兩宋等遺籍輯存、作爲以後輯印爲斷代全書（如先秦全書、兩漢全書……）的基礎。

㈢分地式（郡邑）叢書：已編成「郡邑叢書彙編」目錄，內容包括 80 部各省叢書，含子目書名約 3000 種。

㈣分正補續外四編式叢書：以四庫全書著錄書爲主體，再增補編、續編、外編，分別整理印行。

楊教授認爲叢書不僅能網羅羣籍、整合學術，並且由叢書所包含子目的分類中可以認識到學術的流變，所以不遺餘力的提倡並實際從事叢書的編刊。

四、編印中國學術名著、中國學術類編，嘉惠學林

楊教授先後主持過世界書局及鼎文書局的編務，以其對中國典籍精湛而獨到的認識，藉著編刊叢書，整理羣籍，實現他整合中國典籍的志業。他在世界書局曾出版「中國學術名著」1 至 6 輯，其中包含 120 個單元小叢書，其後在鼎文書局繼出版「中國學術類編」，包括 30 餘種單元小叢書，列其所收四部要著如下：

㈠經部：影刊唐石刻十三經全文、十三經注疏補正、樸學叢書，羣經古注單疏彙刊、宋明經説彙編、清儒五經彙解、説文解字詁林正補合編、古典複音詞彙輯林……等。

㈡史部：中國史學名著、正史廣編、國史彙編、通鑑彙編、歷代會要，中國史料系編、十通分類總纂、中國近代史文獻彙編……等。

㈢子部：中國思想名著、中國科學名著、珍本醫書集成、讀書劄記叢刊、藝術叢編、類書叢編，唐宋類書集成、藝術長編、雜著彙編……等。

㈣集部：中國文學名著、歷代詩文總集、詩話叢編、詞學叢書、曲學叢書、中國俗文學叢刊、中國筆記小說名著、珍本宋明話本叢刊、中國通俗小說名著，歷代詩史長編正續編、歷代詩文總集、歷代名家別集、變文話本章回小說彙編、筆記集成…。等。

楊教授所編以上兩部叢書多達 1600 餘册，約爲線裝古籍 15000 餘册，超過傳世古籍的十分之一，不但對古籍的整理甚有貢獻，並且嘉惠學林。

五、結論

楊教授對國故有深厚的素養，故對叢書的整理有其獨到的見解，其所選印編刊的叢書具有以下若干特色，包括：⑧

㈠每書皆仿四庫提要寫要旨，以求辨張學術、剖判源流。

㈡所選古籍，凡有新校、新注的盡量取後可概前的版本，以求完備。

㈢凡前賢昔作，或爲零卷短書、則依類彙刊，或附在有關他著之後，以免亡佚。

㈣凡所輯印，皆力求系統完備，間有舊本未善或中闕，則盡可能整理補編。

㈤原書若亡佚，而遺文可見，則據輯本重印，若無輯本則另摭拾。

此外，從楊教授的倡議以及所編的叢書中也有許多良法美意可以進一步提供從事叢書編刊者甄擇採行，舉其要者如下：⑨

㈠在一大叢書名下，可擬定若干種單元式叢書，進行選目。「中國學術名著」1至6輯即容納120餘單元式小叢書，此已為叢書之編刊開創一新體例，實足有可取之處，可參酌採行此辦法，較易進行。

㈡楊家駱教授曾為計畫續修四庫全書先後發表我國斷代遺籍輯存（先秦、兩漢、三國、兩晉、南北朝、唐五代、兩宋）七編，將各斷代遺籍舉出並註明今傳版本。宋代以前遺籍較少，國人可據此輯印為各斷代全書。

㈢「中華全書」案創分地纂修郡邑全書之說，即欲就道、咸、同、光以來倡刊鄉邦著述之風，因勢利導，鼓勵各同鄉會重印已刊之郡邑叢書並補其所未備，使成郡邑全書，不惟事半功倍，而且簡便易行。……他日，應朝此方向邁進，繼前人努力之成果，發揚而光大之。

楊家駱教授深刻體會「叢書」對研治典籍的重要性，並且實際編刊叢書，切合張之洞所說的「傳先哲之精蘊，啓後學之困蒙」⑩，以上所述楊教授編印《叢書大辭典》、提議纂修「中華全書」以及出版「中國學術名著」、「中國學術類編」等工作不過其倡研叢書之犖犖大者；此外，楊教授在政府來臺缺乏研究資源的艱困時期嘗影印流傳大陸所編印的《中國叢書綜錄》、另在臺灣大學開授「叢書學」課程多年，並曾指導研究生進行民國以來叢書總目的續編工作，⑪凡此皆可瞭解到他對古籍整理以及學術整合的貢獻。先生著書立說，畢生致力於古籍編刊及學術整合，叢書在其提倡發揚下，益彰顯其對治學者以及學術本身的功效。

註　釋

①（清）張之洞：《書目答問》（臺北：臺灣商務，民 67 年），頁 205。

②楊家駱：〈中國古今著述名數之統計〉，見《四庫全書學典》（上海：世界書局，民 36 年），卷六〈四庫全書綜覽〉，頁陸首−3。

③楊家駱：〈楊家駱著中國圖書大辭典述略〉，見《仰風樓文集初編》（臺北：楊門同學會，民 60 年），頁 611。

④楊家駱：〈叢書大辭典草創本序例〉，見楊家駱編，《叢書大辭典》（臺北：中國學典館復籌備處，民 59 年），頁 8。

⑤姚名達：《中國目錄學史》（臺北：臺灣商務，民 66 年），頁 403～404。

⑥楊家駱：〈中國典籍整理印行計畫〉，同註③，頁 515～524。

⑦同註⑥。

⑧同註⑥，頁 518。

⑨莊芳榮：〈叢書之編刊及近二十五年來編刊情形之總結——叢書總目

續編代序〉，見莊芳榮編，《叢書總目續編》（臺北：德浩，民 63 年），頁ⅩⅥ。

⑩同註①，頁 217。

⑪⑴限於當時的政治環境，《中國叢書綜錄》所包含的「總目」及「子目」兩部份分別以《叢書總目類編》及《叢書子目類編》爲名行世。

⑵莊芳榮：〈叢書之編刊及近二十五年來編刊情形之總結〉，民 63 年文化大學史學研究所碩士論文，楊家駱教授指導。

楊家駱教授對傳記學的貢獻

讀《民國名人圖鑑》草創本第一、二册

鄭喜夫

一、前言

先師金陵楊家駱教授（1912～1991年），夙學天成，早歲以一人之手完成仰風樓十大巨著，蔡元培先生特書軸以贈，有云：「其毅力可佩也，且此種工作至爲煩瑣，而書成以後，嘉惠學者甚大，其犧己爲羣之精神，尤足爲學者模範矣。」①期許之深，溢於言表。數十年來，楊師之著作，益「囊括四部，浩如煙海，博大精深，古今罕匹」②。

歲月不居，楊師辭世忽歷十載，而九十冥誕亦將居，同門學長之任教各大學者，爰發起舉行紀念學術研討會，分任楊師對於遼史、唐史、學典、叢書學、方志學、史注學、史籍考證、大足石刻、出版事業、傳記學（《民國名人圖鑑》）、老子新考、目錄學、四庫學之貢獻之撰稿人。筆者以業師黃秀政教授之推介，負責其中傳記學（《民國名人圖鑑》）一題。並承託國立中興大學歷史學系碩士班林鈺昇兄自國立臺中圖書館黎明分館假得《民國名人圖鑑》草創本第一、二册，影印乙份，以便

閱讀。

事實上，楊師對傳記學之貢獻，並非《民國名人圖鑑》草創本一書所能含蓋，徵諸楊師自謂本書之出版，不是其從事「當代人物研究」之結束，而是其對「當代人物研究」之開始③，即可知之。蓋楊師另曾著手編撰《民國名人圖鑑二編》、《當代名人年譜彙編》，「以期補正本書的闕誤」；又曾著手編撰《民國婦女名人圖鑑》、《當代華僑名人圖鑑》、《當代僑華名人圖鑑》，「以期與本書相輔而行」④。而即以《民國名人圖鑑》一書言，筆者亦僅獲讀草創本第一、二册，約當全書三分之一强⑤，更不足以管窺楊師對傳記學之貢獻，故副標題不敢曰「以《民國名人圖鑑》爲例」，乃題如今題，誌實也；謹以就教於學界先進及我同門諸學長。

二、《民國名人圖鑑》之編纂旨趣及其經過

關於《民國名人圖鑑》之編纂旨趣及其經過，楊師在辭典館民國二十五年一月所發第二三五二七號通啓內有云：

> 駱幼習國史，僭事述作，嘗撰民國史稿二百餘卷，以多闕疑，未遑寫定，因另編《民國名人圖鑑》一書，以為搜集及容納資料之用，兼供世人治事接物之需。溯自創例，以迄今茲，心營手揮，七歷寒暑：初則訪求民國以來報章、雜誌、官書，及近人文集、筆記，而披讀之，遇關各方重要人物之敘述，輒轉錄於零紙，歲月既積，

高可隱身，因略董理，寫為傳記，得三千餘篇；既以有圖書年鑑之作，當代著譯，瀏覽略盡，而商量評述，聲氣相通，復成學人傳記二千餘篇；顧以轉載傳聞，往往失實，思得自傳，資其印證，又以見聞疏陋，禹甸至廣，其人足傳，而名不見於報章官書又無著作行世者，正復何限，職此二故，因印佈調查表格，藉郵徵覆，所及之人，約五萬餘，初次不覆者，繼以二次，二次不覆者，繼以三次，如此疊積發函九次，都三十餘萬件，得自傳凡二萬紙，就書例去取，可留用者，僅及半數⑥。

楊師在〈我的終身事業〉一文，有更詳細之說明，仍恭錄於次：

大致在這七年間：第一步，我們先將民國元年到最近的幾種大報紙，大致翻讀一過，將這二十餘年間重要人物的事蹟，摘抄為卡片數十萬張，然後將卡片加以歸納、排列，將無關重要的人刪去，再將收錄的人無關重要的事蹟刪去，這樣作成的傳記約三千餘篇；第二步我們專從各人的著作上摘取著作人的事略，因為我那時正從事於圖書年鑑的編著，於是往往同各著作人發生通信關係，這樣所得的著作人事略亦不少，合起來共有二千餘篇；第三步就是搜求全國大小公私機關社團的職教員名錄、會員錄，無論新舊，共得三千餘份，再就這三千餘份中，選其可以收入而又有地址的，發函徵求其自述，得到兩萬餘篇，但重覆和不合的竟達半數，所留萬篇，也皆一一替他重新撰作，以符體例；第四步係就屢徵不覆，或雖覆而其傳不合用的人，再從他方面為之補作，約成四千餘篇；第五步再將作好的各傳，擇錄其中要點，函詢被傳的本人，請求校正，然後付印。這種工作的複雜與困難，以及經濟上消耗，真是非親自作過這事的人不能知道。結果成就了這二萬餘篇介於Who's who與史傳之間的書。敘述重徵實，避誇張，重臚陳，避判斷，非如Who's who之僅列履歷，亦非如史傳之旁採軼聞，所述事蹟，大體皆關係政教，而又為世人所共見者。每傳間附照片一幀，但不能全⑦。

三、《民國名人圖鑑》之體例

《民國名人圖鑑》草創本第一冊書前列有全書〈總目〉如下：簡目（每冊封面內）、排檢法、中國行政區域排檢號碼表、最近一百二十年中國歷年表、〈我的終身事業——代序〉（以上均在第一冊圖及正書之前）、圖及正書（第一冊：零部、一部；第二冊：二部、三部；第三冊：四部；第四冊：五部至九部）、索引、詳目（以上均在第四冊圖及正書之後）、〈後記〉（每冊底封面內）。茲依次簡要說明之：

㈠簡目：

列於各冊書前，分卷列出所收名人之姓名首字、傳記頁數、照像頁數，所列兩種頁數均係該姓名首字最初出現之頁數，其無照片者，照像頁數空白。

㈡排檢法：

即〈民國名人圖鑑排檢法〉，凡三條。因本書條目之排列，係採用王雲五第二次改訂四角號碼檢字法，故附有王氏發明〈（第二次改訂）四角號碼檢字法〉及其〈附則〉。

㈢中國行政區域排檢號碼表：

內文作〈中國行政區域排檢號碼簡表〉，本表分〈地名表〉及〈地名表索引〉二部分，表前有說明六條⑧，〈索引〉按字典式排列，採用四角號碼檢字法之次序。

㈣最近一百二十年中國歷年表：內文作〈最近一百二十年中國歷年簡表說明〉，係列出清嘉慶二十三年（1818年）至民國二十六年（1937年）共一百二十年間之公元、民元、干支、國號、年號、年數、距今（年數）而成，表前有說明三條⑨。

㈤〈我的終身事業〉：

此文爲本書之代序，全文分六大段，依次爲：1.〈現在我纔有向社會宣佈計畫的膽量〉，2.〈合理的計畫與其事實上的必然途徑〉，3.〈四書編纂計畫大綱〉（《中國圖書大辭典》、《中國學術百科全書》、《民國史稿》、《國史通纂》），4.〈附營事業〉（助理人員訓練學校、印刷鑄版裝訂廠、圖書供應合作社、實驗圖書館、學術諮詢處、國際中國學術工作襄助團），5.〈已出版的十五種〉（《四庫大辭典》、《四庫全書概述》、《叢書大辭典》、《圖書年鑑》、《圖書年鑑二編》、《歷代經籍志》、《中國文學百科全書》、《羣經大辭書》、《書辭》、《詩辭》、《禮辭》、《唐詩初箋簡編》、《民國名人圖鑑》、《全國機關公團名錄》、《民國以來出版新書總目提要》）⑩，6.〈乞求正當的援助——以不束縛我精神的自由不損害我事業的節操爲其條件〉。

㈥圖及正書：

即各册所載名人照片及傳記，各册下所列零部至九部，謂所收名人姓名首字四角號碼第一碼，該第一碼爲零者稱爲「零部」，以此類推至「九部」。

此外，㈦索引及㈧詳目，均在第四册書末，尚未寓目；至㈨〈後記〉，則列於各册書末。

由上述全書〈總目〉，可知並無〈凡例〉或〈例言〉，但自草創本第一、二册，其體例之可得而言者約略如下：

㈠「民國名人」之範圍：

顧名思義，《民國名人圖鑑》者，誌「民國名人」之專書也。然則，「民國名人」之範圍如何？綜括言之：凡卒年在民元以後之「各方重要人物」、「其人足傳者」，包括軍政界及士農工商各行各業「名人」，甚而盜匪首領亦屬之。具體言之：在軍界，階級一般爲上校（諮議、參謀、科長）以上，部隊長一般爲旅長（偶有團長及獨立輜重兵營等營長）以上，海軍輪機長以上；在政界，一般爲科長（偶有專員、視察）以上；在教育學術文化界，一般爲初級中學以上校長、大專院校教員、講師、教官以上，工程師、技師，以及書局、報社編輯與書籍著譯者；在工商企業及金融界，一般爲經理、董事（偶有公司創辦人）以上；其他如團體成員（南社社員：傅態湘、吳恭亨、徐珂）、專門職業（醫師、律師、會計師）、學成返國留學生（吳宗慶）、匪首（張聲、徐天雄）等。可見本書所收人物包含各方面之名人，每一方面納入人物之範圍亦甚廣。

㈡人物排序之先後：

楊師一向主張覺性行爲構成程序之「知審行論」與方法之「集納衡證法」，認爲獲得淵博知識之方法有二：一曰「集」，即「儘可能的收集一切成爲知識的體、象、事、念爲材料」；一曰「納」，即「就所收集的知識之本質、構成、敍列、認知的共同規範：時、空、類、名分別歸納，使其在各方面的特徵與關係，均有確切的呈顯。」⑪楊師於課堂授課，亦每詔諸生：凡百知識，皆須按時、空、類、名分門別類予以歸納。惟楊師於《民國名人圖鑑》一書，對所收二萬餘人物並未按時、空、類予以分類，其排序之先後，一依姓「名」各字四角號碼之先後。所以然者，乃因楊師當時纂述中之《民國史稿》分五大部分（及三大附錄），其第五部分《分省地理人物志》係「一省爲一册，以地理與人物合敍」⑫，是則在《民國史稿》正書已按「空」（省）歸納，至未依「時」、「類」歸納之原因，楊師曾對爲《民國史稿》編纂事往訪之黃白虹表示：「因爲時間對象太短，用時間先後排列各人傳記，很無意義，如分類則更爲凌亂。」⑬

㈢傳記寫作之格式：

本書各傳之寫作，乍看似頗不整齊，非特篇幅長短懸殊，自僅寥寥四字之多位「某某縣長」至長達七、八頁之國父（頁6～10至6～19）、康有爲（頁1～87至1～95）皆有之，寫作方式亦可謂五花八色，此自是人物分量之輕重⑭與所得材料之豐吝所不得不然；一般情形下，各傳之寫作乃依下列格式：姓名（或名字）、（女士）、字號、（原名）、（以字行）、現職、籍貫、居處(現在及永久)(或通訊處)、生年(卒年、歲數)、學歷(前清科舉考試種類、科別,及文官考試種類、年居、類科)、經歷、「任現職」年月日(現職二種以上者書明所任何職、任命及到任日期)、著譯類別及名稱(共同著譯者、譯著之原著者)、(卒年月日、卒所、卒因),無括號內之事實者該項免列,其餘各項之列載與否及詳略,視資料之有無與豐吝而定。試舉一例如下:

張燊雲:文煊。安徽教育廳第二科長,兼安徽省教育經費委員會委員。星子人。居安慶安徽教育廳舊址。(現)星子漢嶺村。(永)一八九二生。曾任南昌贛省中學校長。國立北京大學物理科理學士。曾任北京大學、北京師範大學教員。二十二年六月任現職⑮。

四、《民國名人圖鑑》之啟發與貢獻

《民國名人圖鑑》一書,雖係楊師於一個多甲子以前所成之草創本,今日讀之,不但可以得到書中提供之人物傳記及照片之珍貴資料,更可以獲致不少啓發,並感受本書之卓著貢獻。分述如下:

㈠範圍全面該括:

本書對於各級史志編修機關及有志從事傳記學者最寶貴之啓發與貢獻之一,即所關注、研究之人物,在廣度上必須該括方方面面、各個領域,在範圍上必須儘量擴大收錄之對象。本書「民國名人」之範圍，即爲最好之見證。本書所收人物達二萬餘人；而較本書約晚六十年之邵延淼主編《辛亥以來人物年里錄》⑯，其「收錄之人物，包括清廷末期、北京政府和國民政府、僞滿洲國和汪僞政權、新中國，及港澳臺地區等黨政軍界之廳局長以上（廳局長這級人物多爲故世者）和旅師級（含少將級）以上人物；文化教育、科技衛生界之副教授以上（副教授及其相等職稱者，書中酌收少數）人物，工商界頭面人物，及一定時期、一定地區具有一定影響的人物」⑰，而共收15696人⑱。邵書雖然在含蓋之時間延長兩倍有餘，但所收人物僅及《民國名人圖鑑》四分之三左右耳。

㈡材料隨時登載：

楊師在前引〈我的終身事業〉文中，指出本書主要的材料，包括報紙報導、各種著作所見著作者事略、全國大小公私機關社團之職教員名錄、會員錄、徵覆自述等，相互比對，多重參證，筆削而成。楊師提及在編寫本書之七年間，第一步即爲「先將民國元年到最近的幾種大報紙，大致翻讀一過，將這二十餘年間重要人物的事蹟，摘抄爲卡片數十萬張，然後將卡片加以歸納、排列，將無關重要的人删去，再將收錄的人無關重要的事蹟删去」，且楊師在本書之外，另著手編撰《民國名人圖鑑二編》等書，足見其對所獲得之材料隨時登載，蒐集既多，乃能比較去取，乃能有人所不能有之材料，包括「無關重要的人」之資料，及「收錄的人無關重要的事蹟」之資料，此類「無關重要」之資料，在爾後環境、情況改變之下，或許重要性迥異，反成珍貴之稀有材料，是必全靠隨時登載始能充分掌握。此又本書對於各級史志編修機關及有志從事傳記學者最寶貴之啓發與貢獻之一。

㈢**重視人物圖像、生卒年及著譯：**

本書名爲《民國名人圖鑑》，各册所收人物，均盡量蒐求照片，集中冠於書前，雖不能全，實本書一大貢獻。而楊師另著手編撰《民國名人圖鑑二編》及與本書相輔而行之各書亦皆名爲《圖鑑》，可知重視人物圖像，乃各書所相同者。蓋閱讀其人傳記，參照其人圖像，有如睹面相對，最是親切有味，亦最易使人進入該當歷史時空之情境也。本書又盡其所能列載人物之生卒年（月日），使讀者一望而知其人在世之始年與終年，凡附有年分之記事皆可推算其時傳主之年歲，對於深入瞭解及評論傳主其人其事，不僅大有助益，抑亦爲先決條件而不可缺者。本書復大量列載人物之著譯作品，由於楊師另有《圖書年鑑》及《圖書年鑑二編》之編纂，前者下部〈新書總目提要〉共收各類新書（不收非學術性教科書及通俗讀物、小册子等）8,553種，係民元一月至二十二年五月所出版爲限，而後者相同部分收民國二十二年五月以後出版及民國二十二年五月以前出版而爲前者所遺漏者，其數量亦與前者「相埒」⑲，不但以此因緣，「當代著譯，瀏覽略盡，而商量評述，聲氣相通，復成學人傳記二千餘篇」，且在其他所收錄之人物列載其著譯作品，爲各傳內容之完整提供重要之補充材料。著譯作品在學人傳記之地位與重要性固無待言，對於非學界人士或非以著譯作品名世者列載其著譯，其重要性亦不稍遜於學人傳記。此種對人物圖像、生卒年及著譯作品之重視，爲本書對於各級史志編修機關及有志從事傳記學者另一最寶貴之啓發與貢獻。

㈣盡量徵覆確認：

《民國名人圖鑑》固爲「草創本」，然楊師對書中所有記載，皆十分審慎，力求正確無訛。不但發函徵求傳主提供「自述」⑳，印佈調查表格徵覆，甚至所編纂之傳成，復擇錄其中要點，函詢傳主，徵覆校正、確認，至再至三，疊積發函九次。如此認真執著之精神與做法，乃保證本書各傳內容之正確無訛，是又本書對於各製史志編修機關及有志從事傳記學者另一最寶貴之啓發與貢獻。

五、結論

《民國名人圖鑑》者，特楊師早年編刊《民國史稿》計畫所成之「副刊」，爲《民國史稿》三大別册附錄之一，楊師並曾著手編撰《民國名人圖鑑二編》、《當代名人年譜彙編》、《民國婦女名人圖鑑》、《當代華僑名人圖鑑》、《當代僑華名人圖鑑》，以期補正《民國名人圖鑑》，並與相輔而行。

本書所收人物，爲卒年在民元以後之「各方重要人物」、「其人足傳者」，而每一方面納入人物之範圍亦甚廣，總計二萬餘人。排序之先後，一依姓名各字四角號碼之先後。各傳之寫作，乍看似不整齊，實則有一定之體例。

本書雖係一個多甲子以前所成之草創本，及今讀之，除書中人物傳記及照片之珍貴資料外，更可獲致不少啓發，並感受本書之卓著貢獻，包括：㈠範圍全面該括、㈡材料隨時登載、

㈢重視人物圖像、生卒年及著譯、㈣盡量徵覆確認等，凡此無不值得今日各級史志編修機關及有志從事傳記學者之效法學習，以提升史志人物部類編修工作之品質及强化傳記學研究之成果；而楊師對傳記學之貢獻亦將與日俱增，永垂不朽。

註　釋

①此軸係民國二十三年十一月蔡元培先生書贈楊師者，半世紀後，楊師印裝此軸，分貽知交及門生，共相期勉。筆者亦辱承楊師題頒乙份，至今珍藏之。此軸並縮影附載於楊師著《仰風樓文集初編》，頁567。

②〈仰風樓文集初編四例〉，載《仰風樓文集初編》書前。

③《民國名人圖鑑》草創本第二册書末楊師自撰〈後記〉，作於民國二十五年八月一日。

④同註③。

⑤《民國名人圖鑑》（草創本）四册，共四千頁，三百萬字；第一、二册，共一千五百一十頁，約一百零八萬字，故約當全書三分之一强。

⑥楊師撰〈我的終身事業〉所引，〈我的終身事業〉作於民國二十五年七月一日，《民國名人圖鑑》草創本第一册書前（頁1～44）及《仰風樓文集初編》（頁653～699）俱有收錄，但後者較前者略有增補。

⑦引自《仰風樓文集初編》，頁691～692。

⑧表前說明第四條云：「本表每省之中分區，區之中分縣，縣境內設有縣佐及土司者並附之。區以行政督察專員轄區爲主，未設專員者，用國民大會代表選舉區代之。縣佐、土司大半存廢不明，姑照《內政年鑑》列之，土司名稱極爲龐雜，茲僅於有土司之縣立土司一目，不舉其名。各省境內之蒙旗，概置於各省之後。爲便於應用起見，其次序

稍有變通之處。又由原縣境劃設之市，市縣不能列於相啣接之處者，應用時往往不便。茲在其劃出之市下立一目外，復在其應在之次序處立一重目，以便用時斟酌去取。」第五條云：「本表之地域次序排檢號碼，概以八進，不用零、九兩碼，及中間復多留空碼者，特使其富有彈性故也，庶於行政區域變更時，祇須將局部重編，其他部分仍可不動，……」第六條云：「本表爲〈中國行政區域排檢號碼表〉及其索引之簡本，原本於各地名下有〈沿革誌要〉一節，並附有〈編製經過及其應用法〉一文；容後刊行。……」

⑨表前說明第一條云：「本書於各人現在年歲，概未注出，祇書明係生於公元某年。……惟本書係用實足年齡，與中國習慣計歲法相差約一二歲。當付印時曾分函各本人，請其將生年見示，但一部分未覆或無地址可通函者，仍不免錯誤。又陰陽曆歲首不齊，即覆函告以生年者，亦不免有相差一年之情形。但自信大致不誤，或相差不致甚遠，本書重編時當再加以精密之調查。」第三條云：「本表摘自《歷年通譜》之附錄。《歷年通譜》一書，本館正在排印，不日可以出版。」

⑩此據《民國名人圖鑑》草創本第一册所收者，其收錄於《仰風樓文集初編》者綱目所列相同，內文則改爲「已出版的廿四種」，計增出九種：《現代圖書事業志》（係《圖書年鑑二編》之抽印本）、《藝文志十七種》、《藝文志十七種書名索引》（以上同係《歷代經籍志》之抽印本）、《中國政治機關一覽表》、《中國大學中學一覽表》、《中國教育館圖書館博物館一覽表》、《中國學術文獻宗教衞生機關團體一覽表》、《中國期刊社報社通訊社一覽表》、《中國經濟生產機關一覽表》（以上同係《全國機關公團名錄》之抽印本）。

⑪見楊師著〈四庫全書通論〉，據自《仰風樓文集初編》，頁16。

⑫〈我的終身事業〉，見《仰風樓文集初編》，頁672～674。

⑬同註⑫，頁674。

⑭第一册國父傳末有括註云：「撰作較詳盡之總理傳記，無異寫一部中國現代史，此事已有中央黨史編纂委員會諸君子正在從事，本書中僅做年譜綱要式以示大要，以事蹟複雜，故格式不得不與其他各傳異。」（頁6～19）

⑮第一册，頁5～180。

⑯邵延淼主編：《辛亥以來人物年里錄》（南京：教育出版社，1994年6月第一版）。

⑰〈編輯說明〉，同註⑯，頁3。

⑱〈前言〉，同註⑯，頁1。

⑲同註⑰，頁686～6787。

⑳民國九十年三月二十六日，承高志彬學長告知：書中夏曾佑、呂思勉二傳，原稿即皆傳主自撰提供者。並承高學長賜告《民國名人圖鑑》第三、四册相關訊息；附此申謝。

楊家駱教授對目錄學之貢獻

胡楚生

金陵楊師家駱教授，擅長目錄之學，在目錄學的理論方面和實務方面，都有許多具體的論述和著作，本文則擬從四項重點，簡略地介紹楊教授對於目錄學的貢獻。

一、對於四部分類理論的闡釋

民國三十五年三月，楊教授出版了《四庫全書通論》一書，在該書的第二章〈四庫全書的知識體系〉之中，楊教授曾以傳統的四部分類法，將我國的圖書，列表說明：

根	幹	枝
文化根源—經部 有如中世紀歐洲文化以《新舊約全書》爲其根源，而看成特別尊崇的書一樣。	**記載性的—史部** 亞理斯多德、培根，根據人類記憶、理性、想像三種心態，分學問爲歷史、哲學、詩文三大類。狄岱麓學典的第一册據此畫成一張「人類知識系統圖」，四分法的史部，恰當其歷史類。	**文學—集部** 恰當於左述三大類的詩文類。
	思想性的—子部 恰當於上述三大類的哲學類。	

對於傳統圖書的四部分類，此表可以說是代表了楊教授對它的基本看法。他也以傳統典籍中的史部、子部、集部，與西方的歷史、哲學、詩文相配合，楊教授以爲，「書籍分類的意義，是將所有的書籍，使其在知識整體中得一比較固定的位置，以表示出每一書在知識整體中所盡的職責」（見《四庫全書通論》頁14）。他也認爲，如果以樹木作爲譬喻，則經部便是傳統文化的根源，而史部、子部、集部，只是由此根本所衍生出來的枝幹而已。所以，經書在傳統文化中，最受人們尊

崇。

民國 63 年 9 月，楊教授在〈中國學術類編輯刊緣起〉一文之中，也説道：

> 記憶、思考、感情，為人類之高級本能，以所記憶者著之於竹帛則為史部書，以所思考者著之於竹帛則為子部書，以抒發感情者著之於竹帛則為文學作品。而由記憶、思考、抒情所成最早之書，實中國文化之礎石，故尊之為經，而附小學書以為部。

傳統的目錄學，自劉向、劉歆父子整理古籍，撰成《別錄》、《七略》，確立分類，定爲七部以後，從《隋書．經籍志》以下，四部分類，方得確立，楊教授以爲，「自四部之制確立，雖類屬之分屢更，次第亦有微變，然行之千數百載，至今仍不能廢，駱尋繹其故，始得其基本原理，以爲條理中國典籍，植其骨幹」，因此，當楊教授爲鼎文書局輯刊「中國學術類編」之時，「仍以經、史、子、集爲次者，非守舊也，其理不可易也」，因此，他也認爲，傳統的四部圖書分類法，在人類知識的區分上，仍然是最爲適當的歸屬方式。

二、對於傳統目錄學著述的編刊

民國五十年前後，楊教授在主持世界書局，輯印「中國學術名著」之時，便曾刊印了「中國目錄學名著」多種，其中如

《四庫全書簡明目錄》、《四庫未收書目提要》、《古今僞書考》、《武陵藏書錄》等，應該是屬於「目錄」之書，直到民國六十六年十月，楊教授輯編了《校讎學系編》一巨冊，由鼎文書局出版，才真正屬於是「目錄」之「學」的書籍，這部大書，也最能代表楊教授對於傳統「目錄」之「學」的觀點和評價，這部書的內容如下：

甲、劉氏系

一、劉　向：《七略別錄佚文》（用姚振宗輯本）

二、孫德謙：《劉向校讎學纂微》

三、羅根澤：〈別錄闡微〉

四、劉　歆：《七略佚文》（用姚振宗輯本）

五、程會昌：〈別錄七略漢志源流異同考〉

附錄一　姚振宗：〈漢書藝文志條理敘錄〉

附錄二　姚振宗：〈漢書藝文志拾補例言〉

附錄三　孫德謙：〈漢書藝文志舉例〉

附錄四　張舜徽：〈漢書藝文志釋例〉

附錄五　張森楷：〈賁園書庫目錄輯略〉

乙、鄭氏系

一、鄭　樵：《通志・校讎略》

二、錢亞新：《鄭樵校讎略研究》

三、張舜徽：《廣校讎略》

附錄一　楊國楨：〈鄭樵年代考索二題〉

附錄二　焦　竑：〈國史經籍志糾繆〉

丙、章氏系

一、章學誠：《校讎通義內編》

二、章學誠：《校讎通義外編》

三、章學誠：《校讎通義外編補》

四、劉咸炘：《續校讎通義》

五、劉咸炘：《校讎述林》

六、杜定友：《校讎新義》

附錄：劉咸炘：《目錄學》

楊教授將古今重要的「目錄學」理論方面的著述，輯成一編，而將之分爲三個系統，分別是以劉向劉歆父子、鄭樵、章學誠爲代表，劉向劉歆，撰寫《別錄》、《七略》，在歷史上是最先大規模校讎古籍、整理古籍、分類圖書的代表。鄭樵撰寫《校讎略》與《藝文略》，提出「類例既分，學術自明」的類次圖書的理論。章學誠撰寫《校讎通義》，提出「辨章學術，考鏡源流」的圖書分類的理想，也提出「互著」「別裁」等部次圖書的方法。因此，此三家四人，也是建立傳統目錄學理論部分最爲重要的思想家，楊教授分析傳統的目錄之學，以三家爲代表，是非常具有卓識的，同時，除了以上三家的代表著作之外，舉凡與三家有直接關聯的著述，也都依類臚列，以備參考，也使得此三系的目錄學理論，體系更加清晰，資料更加充實，至於此書以「校讎學」命名，而不稱之爲「目錄學」，楊教授是以爲，在劉向父子整理古籍的過程中，「校讎」是一項最艱苦也最繁重的工作，因此，才以之爲名，要之，傳統的目錄之學，由於《校讎學系編》的輯結出版，不但在資料上，匯集一編，取用方便，而且，在建構傳統目錄之學的理論方面，也提供了更多的貢獻。

三、對於民國以來出版新書撰著總目提要

民國二十二年七月，楊教授方過弱冠之年，即出版《民國以來新書總目提要初編》，此書原是楊教授所編著的《圖書年鑑》的一部分，後來獨立出版。

此書分爲十四編，第一編總類，第二編哲學，第三編語文學，第四編文學論著，第五編創作文學，第六編翻譯文學，第七編藝術論著，第八編教育，第九編自然科學，第十編應用技術，第十一編社會科學，第十二編經濟，第十三編政治法律，第十四編歷史地理。每編之內，又詳分細目。

此書所收民國以來出版的新書，一共八千餘種，總數在二百餘萬字左右。

此書每一新書名下所撰寫的提要，都是楊教授親自在閱讀每册新書之後，所記錄下來的讀後感想，批評意見，或摘錄現成的書評而成，因此，每册新書之下的提要部分，有些較爲簡略，有些則較爲繁重，例如在第二編「哲學」類中，楊教授對於胡適之先生的《中國哲學史大綱》一書，僅只作了五行的敍述，但是，對於馮友蘭先生的《中國哲學史》，楊教授則作出了長達十七頁的評論意見。又如在第十四編「歷史地理」類中，楊教授對於何炳松先生的《通史新義》，只作了四行的敍述，但

是，對於梁任公先生的《中國歷史研究法》，則作出了長達四頁的評論意見。例如在「哲學類」中對於胡適之先生所撰的《戴東原的哲學》一書，《提要》說道：

> 戴東原一代大師，學人宗仰，但羣震其功在經學考據方面，殊不知此止其建立哲學系統之工具，彼固近代大思想家大哲學家也。胡氏此書在指示戴學在哲學上之價值，略謂戴氏於破壞方面，攻宋明儒者之理欲二元論及主觀的天理論，於建設方面，則提出理欲一元論，並點明理義有客觀的存在，且必需客觀的證實，故其哲學向致知方面，以為惟智慧之擴充，可以解決一切人生問題。全書分三部：㈠引論，敘述中國近世哲學之趨勢，明戴學之成立，蓋上承自顏李學派產出之新哲學基礎及自顧炎武以下的經學產出之新的為學方法。㈡戴東原的哲學，於戴氏學說之諸要點，逐一提出詳論。㈢戴學的反響，提出楮凡十，或能了解戴氏，或頗私淑戴氏，或則提出抗議，或竟肆力排斥，總之，繼續戴氏之學而益求發展者乃無一人，故戴學惟有及身而絕。書末附錄戴氏重要著作《原善》、《孟子字義疏證》及〈與彭紹升往還論學書〉，以便參觀。

楊教授的提要，確實能將胡適之先生書中的要旨，彰顯出來。又如在「文學論著」類中對於蘇雪林先生所撰的《李義山戀愛事跡考》一書，《撰要》說道：

> 義山的詩素被人視為隱僻，而無題諸作，更為難解。中國文學界對於義山無題詩的見解，向來可分為三派，第一派，以為義山詩的隱僻，可以不解解之，而且義山詩的優美，便藏在這昧曖僻之中，如果說穿，反成嚼臘。第二派，直率地斷定義山詩的隱僻，是他才力不足的表現，第三派，以為義山無題諸作，晦澀難解之詞，正如《楚辭》中的美人香草，古詩的託夫婦以喻君臣。於是後來箋註義山詩集的人，刻義推求，務求深解，使那些絕好的戀愛紀事詩，都變成了寄託。直至雪林女士此作一出，斷定他的詩是戀詩，並推出他戀愛的事跡，非常複雜，又分他戀愛的對象為四種：一、女道士；二、宮人；三、妻；四、娼妓。由這種大膽的假設而得到證實，所以這本書頗為研究中國文學者所稱道。

楊教授的提要，也能將蘇雪林先生書中的大旨，說明清楚，又如在「文學論著」類中，對於陳望道先生所撰的《修辭學發凡》一書，《提要》說道：

> 本書共分十二篇，第一篇引言，從社會生活上指出，修辭的作用，並從修辭的實際上指明修辭和語言文字、理知情感、讀書作文等等一切的關係，及修辭學的任務、效用和研究法。第二篇說言辭的梗概，將修辭的工具語言文字作概括的說明，以明工具的性質是怎樣，有多少東西可以被利用。第三篇講修辭的分野，把所有手法大

> 分為二，指出彼此不同的性質，及其適用的範圍。從第四篇到第九篇，將這些手法細細分說。到第十篇，再就這些手法指出它們的繁殊性和統一性。第十一篇，再就那統一性加以類別，並說明古來關於這方面的爭點。第十二篇，是將古來一切的修辭學說加以概括的考察，並分別指出它們的傾向和特色，來做全書的結語。

楊教授的提要，也能將陳望道先生書中的要義，大略說明。

另外，在第四編「文學論著」類中，楊教授一共蒐集了五十一種各類性質的「中國文學史」，一一加以評述，另外，在第五編「創作文學」類中，楊教授更是蒐集了諸如冰心、胡適、郁達夫、沈從文、李金髮、林語堂、梁實秋、聞一多、謝冰瑩等四百五十三位當代作家，並一一介紹這些作家們所創作的文學作品。

要之，楊教授以弱冠之年，對於廣及人文、社會、科學等十四大類八千多種著作，都能夠一一地加以閱讀，加以評述，撰成提要，不但見出楊教授的博學多識，也更可以嘉惠諸學者，有益學術的研究工作。

四、對於中國學術名著分別撰寫要指

民國五十年，楊教授主持世界書局，開始輯印「中國學術名著」，預計出版十輯，每輯三百册，十輯共約一千五百册，我國重要典籍，當能略備於是。同時，楊教授採取間日出書一册的辦法，並每週在報端刊登新書之要指。這種出版的情形，在當時確曾蔚爲出版界的一大盛事。楊教授對於出版每册新書所撰寫的「要指」，主要是以「辨章學術，剖析源流，揭著述之指歸，明版本之得失爲主」，因此，細讀原書，自是必要的工夫，楊教授自己也說：「凡所未讀，不敢妄評，亦不敢刊行」，因此，楊教授在爲每册新書出版時所撰寫的「要指」，確實都能言之有物，批評中理，尤其更時時具有不少卓越之見解，對於學術的研究，極具參考價值，例如楊教授在爲王安石《王臨川全集》所撰寫之「要指」中說道：

安石相神宗，憫日弱之勢，睹積蔽之深，方欲變法更制，致其主於堯舜，而得君之專，規畫之偉，三代以來，亦一人而已。然其時每一法出，天下皆駭然而爭，彈章攻疏，交奏無虛日。及不安而去，雖所嘗薦引者皆起而陷之，甚至靖康之禍，亦有歸罪於安石者。以安石之學術操持，倘能襲故常，踵成跡，積資以躋顯榮，則雖無康濟之才，世猶得以其文行而重之，何至不諒於人口者若是之甚乎？蓋安石個性崛強，自信極篤，凡所施為，冀其必成，及才智老成背之而去，奸人倖進迎旨而入，其不得不與小人圖行新政，或亦勢逼而出此，所為安石惜者，豈不知授小人以政柄，其禍國殃民猶不若無此新政之為愈乎？駱非云弊不應革，利不應興，特謂應以得人為先，而得人又以品格為要，竊願後之言新政者，勿再重演安石之悲劇耳。讀安石集，必先識此旨，若僅賞其文詞之工，則猶不足盡區區重印此編之意也。

對於王安石的性格、行事，以及施政的得失，楊教授的這一段批評，確實是非常深刻的見解。又如楊教授在爲李燾《續資治通鑑長篇》所撰寫之「要指」中說道：

兩宋三百二十年，無日不在強鄰侵迫之中，而朝野孜孜，獨以國史為重，及其既亡，董文炳猶曰：「國可滅，史不可滅。」則今日待興復於海隅，亦何得遂以國史非急務，為自怠之飾辭？駱每推原宋代史學特盛之故，朝廷之鼓勵，士林之推重，固與有力，其尤要者，則以宋儒治理學，遂善於運思，而復重躬踐，既知史籍為國家興衰生民休戚之所繫，察俗布政鑑往知來之所資，於是網羅遺聞，羣起秉筆，宋代史學之特重當代史者，亦以此也。是理學與史學，又何嘗相妨而不相成哉？今日欲挽浮囂之風習，導士林於宏毅，必自倡理學、史學，重躬踐、經世始。否則成大功立大業之動力，何自而獲？又不僅不能求一以四十年之力成千卷之史如李燾者矣。

對於宋代史學之盛，以及理學與史學相輔相成之關係，楊教授這一段評論，確實也是非常精要的見解。又如楊教授在爲陳援庵先生《通鑑胡注表微》所撰寫之「要指」中說道：

三省為文天祥、謝枋得、陸秀夫同年進士，宋亡不仕，務伸亡國之殷鑒、民族之氣節於其注中，駱每讀《通鑑．後晉紀》開運三年胡注至「亡國之恥，言之者痛心，矧見之者乎！」未嘗不淒然而淚下也。則其好學愛國感發後人者又何異於文謝陸三公之所為乎？舊唯四史有注，亦不盡可取，晉宋以迄五代，三省前無所承，奮筆箋釋，卒使曠古名作，有此博洽之注。顧世之論三省，或服其擅長考據，或推其明於地理，獨其微言大義索解人而不得，陳氏於抗戰中處三省之境，展卷重讀，遂得盡發其覆，因著《表微》二十卷七百數十則，前十卷論史法，後十卷論史事，凡三省家國之隱痛，及治學之精神，均賴以察見，駱今取以刊於《通鑑胡注》之末帙，亦願世人勿徒以考據之工讀其書耳。

對於陳援庵先生表彰胡三省在《通鑑注》中的微言大義，以及陳氏由於自身處境所感受到的家國之痛，楊教授的這一段闡釋，確實能夠曲盡其情，抒發幽隱。

爲書籍撰寫「要指」，其體例仿自劉向《別錄》，爲目錄學中重要的體裁之一，歷代目錄要籍，如《郡齋讀書志》、《直齋書錄解題》、《文獻通考．經籍考》、《四庫全書總目提要》等，都能充分發揮提要的功能，而楊教授爲「中國學術名著」所撰寫的許多「要指」，就其學術價值而言，實足以與晁公武、陳振孫、馬端臨、紀曉嵐等人的作品，比肩並轡，不遑多讓。

以上，僅就四項重點，簡略地介紹楊師家駱教授對於目錄學方面的貢獻，前兩項，是屬於目錄學理論方面的論述，後兩項，是屬於目錄學實務方面的著作，只是，自知綆短汲深，掛一漏萬，必不能免，尚請同門諸友及學界先進，多所賜正。

楊家駱教授對方志學的貢獻

以《北碚九志》爲例

黃秀政

一、前言

先師楊家駱教授爲江蘇省南京市人，民國元年（1912年）生，民國八十年（1991年）病逝於臺北市，享壽八十。

楊家書香世代，楊師曾祖新甫、祖父星翹、父紫極皆以藏書與學問聞名於世。楊師自幼體弱多病，未入學，由母張氏教以識字；六歲隨師讀書，未滿十歲即遍讀五經、先秦諸子與四史。楊師學問淵博，通貫古今，蓋奠基於此。

楊師著作等身，一生所著書計數十種，所主編之書達一千五百鉅册①，對民國以來的圖書館學、文學、史學等均有重大的貢獻，影響至深且鉅。

茲逢楊師九十冥誕，本文特以楊師主修的《北碚九志》爲例，論述楊師對方志學的貢獻，以就教學界先進與楊門學長。

二、從《北碚志》到《北碚九志》

北碚位於重慶西北，兩地相距不遠，水道有嘉陵江，陸路有公路連接成（成都）渝（重慶）線，輪船、汽車均半日可達。②北碚面積約一百六十平方公里，境界之東西兩面有高山，蜿蜒環繞，高度約八、九百公尺；境內崗巒起伏，約在二、三百公尺。嘉陵江自西北流，經境內穿過東西兩面河谷，下流重慶，注入長江。③

北碚之前身爲「嘉陵江三峽鄉村建設實驗區」，民國三十年改設爲「北碚管理局」。民國二十六年，抗戰軍興，楊師奉母避地入川，居於北碚。當時該實驗區主任盧子英與楊師曾有共事之誼，屢囑楊師於鄉村建設多提意見。楊師有鑑於國民政府各學術機構多已遷到四川，而不得恢復工作之地點，乃建議盧子英主任應盡力助之遷至北碚，因有中央研究院之氣象、動物等研究所，經濟部之中央地質調查所、農業試驗所，教育部之編譯館、禮樂館、中國教育全書編纂處，中山文化教育館，新設管理中英庚款董事會之中國地理研究所，以及復旦大學、國民政府主計處統計局等，皆先後遷設於北碚；而北碚在抗戰期間遂有「文化城」之稱。

抗戰期間，楊師居於北碚附近之北溫泉公園者凡八載，以繼續《中華大辭典》之寫作。民國三十四年，抗戰勝利，遷設北碚之各機構集議，在還都之前，擬爲北碚共事一項可資紀念之工作。楊師建議以科學論文方式創修《北碚志》，衆推楊師出任

「創修北碚志委員會」主任委員，楊師乃本其對國史之理想，草成創修計畫，凡分「時」、「空」、「類」、「名」四大類，共五十餘篇，大致如下：④

時	通紀（自梁時在縉雲山建相思寺起敘） 大事日誌（由北碚管理局就民國十二年起之「峽防團務局」等檔案編撰）
空	地理部分有：氣候志、地質志、地形志、水文志、土壤志、礦產志、土地利用志、植物志、動物志等篇
類	政治部分有：政制志、防衛志、政績志、人口志、戶役志等篇 經濟部分有：農業志、工業志、商業志、物價志、交通志、水利志、災害志等篇 文化部分有：語言志、教育志、學術志、圖書古物志、娛樂志等篇 社會部分有：聚落志、風俗志、醫藥衛生志、賑濟志等篇
名	傳記 社團公司行號名錄 索引

資料來源：楊師家駱，〈北碚九志序〉，收入楊師家駱主修《以科學論文方式撰寫方志之試驗——北碚九志》（臺北市：鼎文書局，民國六十六年二月初版），未署頁次。

創修計畫既定，楊師以委員會名義聘顧頡剛爲總編纂，傅振倫及各篇撰稿人爲委員。惟不久政府還都南京，楊師亦飛上海接收世界書局，不及一年各研究機構亦紛紛遷還原地，顧、傅二氏則早已離開北碚，北碚管理局局長盧子英遂以已撰成志稿十餘篇及未定稿各篇而有資料者寄上海，請楊師以主修名義告一段落。楊師於撰成者閱定後即付排，其未定稿而有資料可供撰寫者則囑其四弟楊家駰重爲寫定，並陸續在《世界農村月刊》發表。其後，中國地理研究所所長林超自南京到上海拜訪楊師，見楊師書架上所堆置之《北碚志》已排紙型，要求借用九篇，以備該所《地理雜誌》第五卷第三、四期合刊爲《北碚專號》。（該專號於民國三十七年九月在南京出版）

《北碚專號》刊載的九篇，屬於地理部分者有六篇：北碚氣候志、北碚地質志、北碚地形志、北碚土壤志、北碚動物志、北碚土地利用志；屬於政治部分者有一篇：北碚人口志；屬於經濟部份者有一篇：北碚農業志；屬於社會部份者有一篇：北碚聚落志。⑤《北碚志》其他各篇，因抗戰勝利還都，聯繫不易，均已散佚，而〈北碚氣候志〉等九篇則因《北碚專號》的刊行而幸得保存。民國六十六年，楊師經毛一波先生惠借，加以重印，以《以科學論文方式撰寫方志之試驗——北碚九志》書名，刊行於世。⑥

楊師所主修的《北碚志》，其全貌雖已無法得見，唯透過傳世的九篇，亦足以看出楊師「以科學論文方式撰寫方志之試驗」的構想與創意。

三、《北碚九志》的體例與內容

《北碚九志》係以科學論文方式撰寫方志之試驗，其體例與內容，與中國傳統方志單純「人」、「事」、「地」、「物」的記載不同。此種以科學論文方式所撰寫的方志，猶如一地「時」、「空」、「類」、「名」分門別類的專題研究，不僅記載其然，而且研究其所以然，已非傳統方志所能及。茲爲討論方便，特就《北碚九志》各篇之章節、取材及作者背景加以整理，列成表一如下：

◰表一：《北碚九志》各篇之章節、取材及作者背景一覽表

篇名	章節	取材	作者背景
北碚氣候志	共分六章：一、氣壓與風；二、溫度；三、降水量；四、濕度雲霧及日照；五、霜與雪；六、結論。章下未分節。另有兩個附表。	以中國西部科學院測候所之紀錄爲主，並參用中央研究院氣象研究所之紀錄。	作者宛敏渭，未署任職單位。
北碚地質志	共分三章：第一章地層（七節）；第二章地質構造（四節）；第三章煤田（二節）。章下共十三節。另有十三幅附圖。	由作者羣分批至北碚各地實地調查所得，前後歷時四個多月。	作者王朝鈞等四位，均任職於經濟部中央地質調查所。

北碚地形志	共分七章：第一章地質綜述；第二章地形區劃；第三章水系；第四章階地與裂點；第五章侵蝕面之研究；第六章嘉陵江小三峽之成因；第七章河流襲奪現象。章下未分節。另有二幅附圖。	多爲作者實地野外考察所得，並參考地形學理論，加以撰述。	作者郭令智，任職於中國地理研究所。
北碚土壤志	共分三章：一、土性概述；二、土壤分類；三、土壤分區。章下未分節。另有一幅附圖。	以作者實地調查所得，並參考相關文獻，加以撰述。	作者侯光炯，任職於經濟部中央地質調查所。
北碚動物志	共分七章：第一章獸類；第二章鳥類；第三章爬蟲類與兩棲類；第四章魚類；第五章昆蟲；第六章軟體動物；第七章其他無脊動物。章下未分節。未附圖表。	由中央研究院動物研究所研究人員分別進行實地調查，並參考相關研究報告，撰述而成。	作者爲中央研究所動物研究所研究人員；鳥類與蚯蚓類分由常麟定、陳義兩位教授撰稿。
北碚人口志	共分三章：一、總述；二、人口分佈；三、人口組合。章下未分節。另附二十七個統計表。	除北碚管理局所提供之官方保甲戶口數字外，均係根據民國二十九年戶口普查之資料。	作者爲國民政府主計處統計局研究人員。

北碚聚落志	共分八章：一、聚落總論；二、北碚；三、金剛背；四、澄江口與夏溪口；五、二岩；六、東陽鎮；七、黃桷樹；八、文星場；九、白廟子。章下未分節。另有九幅附圖。	由作者遍歷北碼各鄉鎮，實地調查聚落情況及各聚落間的關係。文中所用材料，除歷史事實外，均係調查期間之情形。	作者孫承烈，未署任職單位。
北碚農業志	共分十六章：一、已耕地之種類與面積；二、農戶與農民；三、租佃制度；四、自耕農之扶植；五、農作物分佈情形；六、農作物生產面積；七、農作物產量；八、栽培制度；九、農業經營；十、種子；十一、肥料；十二、農具；十三、農工；十四、農作物病蟲害；十五、農村副業；十六、墾殖。章下未分節。另有十九個附表。	以民國三十二年國民政府社會部統計處所編《北碚社會概況調查》第四章「農業」之資料爲主，並參考《北碚志》之地政、糧政二志初稿，斟酌去取整編而成。	作者楊家駰爲改編者，係楊師家駱之四弟。

北碚土地利用志	共分二章：一、影響本區土地利用之因子，下分自然因子、人文因子二節；二、各類土地之利用，下分土地利用型態之分類、各類土地分佈及其利用、分區、結論四節。	由兩位作者進行野外調查所得；其附圖乃利用中國地理研究所與北碚管理局合測之地形圖繪製而成。	作者鍾功甫等二位，均任職於中國地理研究所。

由上述《北碚九志》各篇之章節、取材及作者背景可知，《北碚九志》的體例與內容已跳脫舊方志記載「人」、「事」、「地」、「物」的史地二元傳統，而改以近代科學論文的撰寫，其章節標題與內容，均與近代科學論文的撰寫無異；其取材均特別重視實地調查資料，可信度極高；其各篇作者多係學有專長，任職於北碚各學術研究機構或政府機關的研究人員。而《北碚九志》所以具有這些特色，一方面固係近代學術分門別類，且不同領域學者專家羣聚北碚之故；另一方面，則是「創修北碚志委員會」主任委員楊師家駱能突破傳統窠臼，勇於試驗，故能開創「新方志」之先例。

四、《北碚九志》的特色與貢獻

《北碚九志》是楊師家駱主修方志的試驗，其特色有二：一爲以科學論文方式撰寫，另一爲結合不同領域學者專家共同完成。就前者言，方志具有資治、教化、存史的功能⑦，方志的纂修不宜陳陳相因，必須隨時代的進步而推陳出新，才能達成其原有功能。楊師家駱有鑑於此，出任「創修北碚志委員會」主任委員之初，除本其對國史之理想，草擬創修計畫外，並建議以科學論文方式創修《北碚志》，徹底改變傳統方志的撰寫方式，爲方志纂修建立新的典範。

就後者言，方志爲「一方之全史」⑧，其所記載內容上自天文，下至地理，舉凡一地的「人」、「事」、「地」、「物」無所不包。近代以前，地方事務較爲簡單，方志專家尚能獨力完成方志的纂修；近代以來，政治經濟變動劇烈，社會文化變遷快速，傳統方志專家已無法獨力勝任方志纂修工作，因而必須結合不同領域學者專家，各就所長，分別擔任方志專門篇章的撰寫。楊師家駱獨具慧眼，體察此一發展趨勢，在主修《北碚志》期間，開風氣之先，首度結合不同領域的學者專家，分別出任該志五十餘篇的撰稿人。《北碚志》雖因故無法得見全貌，但現存《北碚九志》的氣候、地質、地形、土壤、動物、人口、聚落、農業、土地利用九篇，均係由具有專長的學者專家撰寫；而各篇作者亦皆不負楊師之期望，都能完成極具水準的科學論文形式之「新方志」。

論及《北碚九志》的貢獻，首先是「新方志」的創始。所謂「新方志」，乃是相對於傳統方志而言。方志學者林天蔚在討論新方志學與方志新體例時指出：「所謂『新方志』，應有『新的內容』、『新的方法』、『新的體例』。」⑨以林氏所指出的「新方志」三項指標而言，《北碚九志》借助近代西方社會科學如地理學、政治學、經濟學、社會學的理論與方法，不但纂修方法創新，各篇章節標題與傳統方式體例有別；而且各篇內容亦跳脫傳統方志的陳規，其取材以實地調查資料、政府機關的檔案或研究機構的報告爲主，可說是完全符合林天蔚教授所强調的「新方志」三項指標。楊師家駱建立「新方志」的典範，對中國方志學的創新，實具有重大的貢獻。

其次是北碚文獻的保存。《北碚九志》僅有九篇，未能保存《北碚志》五十餘篇的全部文獻，這是中國方志學界無可彌補的損失。但傳世的《北碚九志》，其所保存的北碚氣候、地質、地形、土壤、動物、人口、聚落、農業、土地利用等相關文獻，仍屬彌足珍貴。從這些文獻，大致亦可看出北碚歷史發展與地理環境的輪廓，對進一步建構北碚歷史的全貌極有幫助。這是《北碚九志》的另一貢獻。

五、結論

楊師家駱學問淵博，識見卓越，他對學術界的貢獻是多方面的。楊師本非以方志學聞名於世，而《北碚志》的創修亦係時代環境使然。

《北碚志》五十餘篇未能全部刊行，此乃中國方志學界的一大缺憾。唯就傳世的《北碚九志》而言，其各篇章節標題與內容，均有別於傳統方志的纂修，極具創意；其結合不同領域的學者專家，同心協力，以科學論文方式撰寫方志的試驗，建立「新方志」的典範，其貢獻尤足稱道。杜負翁推崇《北碚九志》一書云：「此九志也，足開方志體例先河，足爲未來方志軌範，可謂空前創格。」⑩當非虛譽。

此外，《北碚九志》有助於建構北碼歷史的全貌，其對地方文獻的保存，亦功不可没。

附記

本文的撰寫，承蒙楊門學長胡楚生院長的建議，並惠借楊師主修的《以科學論文方式撰寫方志之試驗——北碼九志》一書，特此致謝。

註　　釋

①國家圖書館編輯，《第三次中華民國圖書館年鑑》（臺北市：國家圖書館，民國八十八年八月），頁737～738。

②楊師家駱主修，王朝鈞、關佐蜀、靳毓貴、李耀曾撰，《以科學論文方式撰寫方志之試驗——北碚九志・北碚地質志》（臺北市：鼎文書局，民國六十六年二月初版），地質-1。

③楊師家駱主修，宛敏渭撰，前揭《以科學論文方式撰寫方志之試驗——北碚九志・北碚氣候志》，氣候-1。

④《北碚志》原創修計畫曾印爲專册，惜已不存。以上篇名係楊師就記憶所及列出，自不能全，次序與原定者恐亦不盡相合。見楊師家駱，〈北碚九志序〉，收入前揭《以科學論文方式撰寫方志之試驗——北碚九志》，未署頁次。

⑤此處《北碚九志》的分類，係根據楊師《北碚九志序》所述。唯楊師在該序的分類，與目前的學術分類亦有出入，例如楊師歸類爲政治部分的〈北碚人口志〉，目前似應歸類爲社會部分；另外，楊師歸類爲社會部分的〈北碚聚落志〉，目前則應歸類爲地理部分。

⑥同註④。

⑦來新夏，〈論新編地方志的人文價值〉，收入王明蓀主編《海峽兩岸地方史志暨地方博物館學術研討會》（臺灣省南投縣：臺灣省文獻委員會，民國八十八年六月），頁1～8。

⑧章學誠（清），〈答甄秀才論修志第一書〉，收入氏著《新編本文史通義・方志略例㈢》（臺北市：華世出版社重新排版，民國六十九年九月初版），頁477～480。

⑨林天蔚，《方志學與地方史研究》（臺北市：南天書局，民國八十四年七月初版），頁115。

⑩杜負翁，〈北碚九志序〉，收入前揭《以科學論文方式撰寫方志之試驗——北碚九志》，未署頁次。

楊家駱教授的古籍輯存的貢獻

廖吉郎

一、前言

今年適逢楊師家駱教授九十冥誕，受業弟子等遂發起學術研討會，並出版論文集，用以紀念楊老師一生對學術的奉獻以及對弟子們的指導與期盼。

吉郎曾於民國五十八年，在楊老師的指導下，就今所傳晉人所撰史籍寫成《兩晉史部遺籍考》，並經國立台灣師範大學國文研究所的推薦，交由嘉新文化基金會出版。其後，又蒙國科會的研究補助，撰成《兩漢史部遺籍考》、《南北朝史部遺籍考》、《唐代史部遺籍考》以及《兩漢史籍研究》。因承胡楚生學長的囑咐，乃以〈楊家駱教授的古籍輯存〉爲題，寫成本文。

本文計分「前言」、「四庫大辭典」、「斷代全書」、「叢書子目類編」、「四庫全書續編」、「結語」六節。茲述如下。

二、四庫大辭典

楊老師曾以爲：我國文化，啓發最早，所以著述之多，浩如湮海。而初學之士，何者爲先；版刻有幾，熟得熟失；祕笈孤本，藏於何處。兼之兵燹時起，千緗爲灰；諭令禁燬，淪泯澌滅。因此，往世藝文，何代爲最；一代之中，所宗何學；一方之士，風尚何說；古今藏家，其數有幾。積學之士，有不能對。乃於民國十七年，時年十七，任職於教育部圖書館時，利用晨出夕歸之餘暇，三易寒暑，撰成《四庫大辭典》。

民國二十年八月，楊老師在〈四庫大辭典自序〉說：「班固〈藝文志〉曰：『成帝時，以書頗散亡，使謁者陳農，求遺書於天下，詔光祿大夫劉向校經傳、諸子、詩賦，步兵校尉任宏校兵書，太史令尹咸校術數，侍臣李柱國校方技。每一書已，向輒條其篇目，撮其指義，錄而奏之。』又阮孝緒〈七錄序目〉曰：『昔劉向校書，輒爲一錄。論其指歸，辨其訛謬。隨竟錄上，皆載本書。時又別集其錄，謂之《別錄》。』此吾國書目之有解題所由倣也。其後宋王氏《崇文總目》、晁氏《讀書志》、陳氏《書錄解題》，稍具崖略，未能詳明。馬氏《經籍考》薈萃羣言，較爲賅博，而貫串析中，則猶未也。至清乾隆帝詔求天下遺書，開四庫全書館，復命紀昀等每進一書，倣劉向之例，撰爲提要，弁諸簡端，帝輒覽而善之，敕將各書提要編刊頒行，其於諸家被屏著述，亦附存其目，以備考核，即《四庫全書總目》是也。清初葉以前，學術源流，著述得失，略具於是矣。

惟迄今百六十載，古籍間出，多四庫所失收，而著作之繁，更倍蓰於前此，考證校勘，輯佚拾遺，冰水青藍，後出更勝，繼先賢之偉業，步芳躅之後塵，此天下所共望。』」這是楊老師所以在燈檠之下，非疾苦羈縻，未嘗或間，而急於撰成《四庫大辭典》的原因之一。由此亦可見楊老師已在早年立下終身的志業。

民國二十年十月，王雲五先生曾爲老師所撰成的《四庫大辭典》作序說：「因爲文文山說過『一部十七史從何處說起』，所以近人往往也說：『一部二十四史從何處讀起？』其實二十四史衹有三千二百多卷，二千八百餘萬字，比諸四庫全書的七萬九千多卷，七萬萬餘字，本來算不得一回事，就是那四庫全書，如果用普通字體和版式排印裝訂起來，至多也不過一萬冊，比諸巴黎、倫敦、華盛頓等圖書館藏書都在四百萬冊以上的更算不得一回事。但是我們從沒有聽見那些圖書館的讀者——尤其是華盛頓國會圖書館的讀者也說『從何處讀起』的話。去年，我遊歷歐美各國，曾在華盛頓圖書館讀了十日的書，居然把該館四百多萬冊藏書當中所有關於科學管理的圖書雜誌一千多冊都涉獵過。有人疑心這或者不是事實，其實一點都不是虛話。因爲該館的藏書目片製得非常完備，衹要在目錄室中按照直接和間接有關係的標題，檢閱種種目片，那就各類的重要書籍、叢著、論文和相關門類等，以及各書的名稱、分量、版本、出版年月、內容、性質、概要和相關著作等，各著者的姓名、時代、資格、學術和其他著作等，沒一樣不呈現於眼前。我們看了各書的種種目片以後，已經明白其大概；然後分別去取，把必須閱讀的圖書借到手上，再從每書的索引檢到其中必須閱讀的部分；於是當讀的圖書不過占全體藏書萬分之一，而當讀的部分也不過占當讀圖書千分之一，照這樣辦法，在那茫茫滄海的藏書搜其中的一粟，便毫無難處，也就不致有『從何讀起』的困苦。除了這些便利參考的圖書館目片以外，歐美各國的讀書利器還很多，如圖書辭典、論文索引、書報提要等都是；其編製都按字母順序，既便檢查，又可以一目瞭然。因之讀書界也就不致有『從何處讀起』的困苦。」王先生又說：「我國目錄之學向稱精詳，關於目錄的著作也不少。但往往一書詳一事，讀者不易得一概括的觀念。而且分類過泛，檢查也很不便。欲求一按字典式排列而能與人以概括觀念的圖書辭典卻不可得。梁任公先生前曾有編輯中國圖書大辭典的計畫，卒未竟其志。楊家駱先生精研目錄之學，也從事於中國圖書大辭典的編輯，猛進不已，先成《四庫大辭典》一部。以《四庫全書總目》二百卷著錄存目各書及其著者爲範圍，範圍内的書名、人名均各立一條，凡一萬七千餘條，二百五十餘萬字。書名條下包括卷數、附錄及其撰人或編注人姓名、類次、解題、版本各項；撰人條下包括所著或所編注各書名稱、撰人時代、籍貫、小傳、四庫失收之著作名稱、撰人詳傳、參考書各項；又因按字典式編製，爲謀檢查便利起見，采取拙作四角號碼檢字法排列，稿成付印，囑我作序。我認爲這書和上述歐美各國的字典式圖書辭典相符，真是我國第一部最適用、最便檢查的圖書大辭典，對於我讀書界向來所感『從何處讀起』的困苦可以一舉解除。所以一方面希望楊先生早日完成《中國大辭典》的工作，一方面很高興的把這部書介紹於讀書界。」由此可見楊老師所作的貢獻之大以及各界對他的期望之高。

三、斷代全書

民國三十五年三月，楊老師曾起草建議政府，普設機構，推廣四庫全書義例，纂修中華全書①。四月，楊老師爲配合「中華全書案」的推行，在中華書局發行之《新中華雜誌》復刊四卷七期發表〈中國古今著述名數之統計〉一文。文中，楊老師先表列先秦至抗戰前各代著述之種數、卷數，再逐一說明此表數字產生之根據。是項統計之總數，表明了我國歷代著述至少有 253435 種，2460424 卷，內無卷數或卷數不詳者 30368 種。惟以散亡代謝，今存者僅約十萬種。楊老師深以存書之數不能徵實爲憾，因就在各大學及研究所講授目錄學及學術史之便，先後完成〈先秦遺籍輯存〉、〈兩漢遺籍輯存〉、〈三國遺籍輯存〉、〈兩晉遺籍輯存〉、〈南北朝遺籍輯存〉、〈唐五代遺籍輯存〉、〈兩宋遺籍輯存〉七篇講義。楊老師說：「右列七編，因每書均曾寓目，並已注明其今傳板本，故確有其書，絕無疑問。大致今傳先秦至五代書存本、輯本其量十倍於四庫著存目之所收，兩宋則四倍於四庫著存目之所收，永樂大典殘存八〇三卷中尚有可輯而未輯者。至明、清兩代之傳本書目，則因數量太多，不易編製。」②老師又說：「此七編現正由家駱指導阮廷卓、王仁祿、湯雄飛、廖吉郎、莊嘉廷諸同學搜集資料，進一步撰作《先秦遺籍輯存考》、《兩漢遺籍輯存考》……等，備以後集印爲斷代全書（如「先秦全書」、「兩漢全書」……等）時分弁於書首之用。」③此由「斷代全書」再慢慢彙整爲「中華全書」應是老師所至盼的事。

民國四十二年　老師開始在世界書局刊行所整理的中國典籍，由於書局乃民營出版業，便不用「中華全書」之名，而改以「中國學術名著」爲總稱。當時計畫先分十餘輯陸續出版五千餘種，多於《四庫全書》約二分之一，相當於中國著述存數約二十分之一。老師採間日出書一、二種的方式，更用司馬談「論六家要指」語，並略倣《四庫全書》的「提要」，爲已出各書分撰「要指」，用以辨章學術，剖判源流。是項「要指」，每星期在《中央日報》發布一次，世界書局並曾彙刊爲《中國學誌》單行。至於選書，則凡古籍之有新校、新注者儘量取後可概前之版本；倘舊本必不可缺，則儘量取最完、最早之版本。如《樂府詩集》百卷，曩日影印者係取明汲古閣本，不知國家圖書館藏有元本，而《中國學術名著》所影印者則爲宋本。若有孤本祕籍而爲鴻儒碩學畢生精力之所作，雖名不甚顯，亦力爲表彰。自清乾、嘉以來，後出轉精者，尤在所不遺。又有零卷短書，亡佚堪慮者，則或依類彙刊，或附於有關書籍之後。凡所輯印，皆力求系統明備。如前 28 册先秦至南北朝部分，皆按九流編刊，於漢、隋志著錄而今有存本或輯本及校記者，則收錄至 190 種之多。有不能一次刊齊者，亦期能先後相承，而終成整體。間有舊本未善，或時序中闕，則儘可能爲之整理補編。亦有書已佚亡，而遺文可見，其有輯本則據以重印，若無輯本則別爲摭拾。至有巨籍久殘，而海內外猶有單册孤帙存者，則不惜萬金借攝，百衲成書。迨民國五十二年冬，共出書六輯，2860 種，22608 卷。後因故中止七輯以下之進行。老師對於古籍之整理，可謂不遺餘力。

四、叢書子目類編

老師所輯歷代之遺籍書目，見收於所著《仰風樓文集初編·中國典籍整理印行計畫》一文中，吉郎曾就兩漢、三國、兩晉、南北朝、唐代之史籍部分取以考證。

老師曾說：班固《漢書·藝文志》、姚振宗《漢書藝文志拾補》及《後漢藝文志》，著錄書 2130 種，十之八九皆兩漢人之所作，然見收於《四庫全書》者，不過百分之二、三而已。蓋輯佚之業四庫館僅開其端，乾、嘉以後始大盛行，故老師得據以編次〈兩漢遺籍輯存〉，所收存本、輯本逾於四庫著存目者近十倍。老師又說：所謂兩漢遺籍，子部最多僞書，類皆明人刊於叢書中而經清人論定確出僞作者。又說：「兩漢人別集著錄於隋志者，西漢有孝武皇帝集至王莽建新大尹崔篆集二十五家，東漢有六安郡丞桓譚集至傅石甫妻孔氏集五十五家。考漢志詩賦略僅稱某某賦若干篇，某某歌詩若干篇；范氏《後漢書》各傳亦僅作所著詩、賦、碑、誄……凡若干篇。是兩漢時初無別集之稱可知，故今不錄，而以嚴可均全漢文、全後漢文、丁福保全漢詩代之。」又說：「四庫著存目失收之唐以前著作，不盡由於輯本之後出。如任大椿發見唐釋玄應之《一切經音義》於佛藏中，唐釋慧琳之《一切經音義》則於光緒初來自日本之海船，嚴靈峯發見魏王弼之《老子微旨例略》於道藏中，伯希和發現魏麋信之《春秋穀梁傳》解釋唐寫本於敦煌，楊守敬發見梁顧野王之《玉篇》詳本於日本（四庫所收爲刪本，此詳本方爲原本，雖三十卷中僅存五卷，然唐日本僧空海所撰《萬象名義》三十卷完整無缺，實係全抄《玉篇》詳本而成，故《玉篇》詳本所缺二十五卷，可從《萬象名義》補成全書也）。以上不過略示數例，不遑一一枚舉也。」④由此可知，老師所輯歷代遺籍書目之所自，乃不僅由於輯佚之業以及佛藏、道藏或海内外之所藏，更有源於叢書者。

茲再以〈兩晉遺籍輯存〉爲例，節錄老師所列史部書目，以見歷代遺籍輯存書目之一斑。

史部

正史類

續漢書志三十卷　晉司馬彪撰　梁劉昭注　宋海唐郡庠刊元修補本後漢書

續漢書（佚文）五卷　晉司馬彪撰　清汪文臺輯　七家後漢書本　吳志著錄司馬彪續漢書八十三卷

三國志六十五卷　晉陳壽撰　宋紹興衢州刊元明修補本　吳志著錄

三國志佚文一卷　王仁俊輯　經籍佚文本

別史類

帝王世紀一卷　晉皇甫謐撰　清宋翔鳳輯校　訓纂

堂本　別有顧觀光錢保塘王仁俊輯本　吳志雜史類著錄十卷

後漢書一卷　晉薛瑩撰清汪文臺輯　七家後漢書本　別有黃奭輯本　吳志著錄薛瑩

後漢記一百卷後漢書二卷　晉華嶠撰　清汪文臺輯　七家後漢書本　別有黃奭王仁俊輯本　吳志著錄九十七卷

後漢書一卷　晉謝沈撰　清汪文臺輯　七家後漢書本　吳志著錄一百二十卷

後漢書一卷　晉袁山松撰清汪文臺輯　七家後漢書本　別有黃奭王仁俊輯本　吳志著錄一百卷

吳錄一卷　晉張勃撰　葉昌熾輯　鷇淡廬叢稿本　別有王仁俊輯本　吳志著錄三十卷

晉書十一卷　晉王隱撰　清湯球輯　廣雅書局本　別有黃奭王仁俊陶楝輯本　吳志著錄九十三卷

晉書一卷　晉虞預撰　清湯球輯　四明叢書本　別有黃奭輯本　吳志著錄四十四卷

晉書一卷　晉朱鳳撰　清湯球輯　廣雅書局本　別有黃奭輯本　吳志著錄十四卷

晉紀一卷　晉徐廣撰　清黃奭輯　漢學堂本　吳志著錄四十五卷

編年類

後漢紀一卷　晉張璠撰　清汪文臺輯　七家後漢書

本　別有黃奭輯本　吳志著錄三十卷

後漢紀三十卷　晉袁宏撰明翻宋本　吳志著錄三十卷

魏氏春秋一卷　晉孫盛撰　增訂漢魏六朝別解本　吳志著錄二十卷

晉紀一卷　晉陸機撰　清湯球輯　廣雅書局本　別有黃奭輯本　吳志著錄四卷

晉紀一卷　晉干寶撰　清湯球輯　廣雅書局本　別有黃奭陶棟輯本　吳志著錄二十三卷

晉陽秋一卷　晉庾翼撰　說郛本

漢晉春秋三卷　晉習鑿齒撰　清湯球輯　廣雅書局本　別有王仁俊輯本　吳志著錄四十五卷

晉陽春一卷　晉孫盛撰　清湯球輯　廣雅書局本別有黃奭王仁俊輯本　吳志著錄三十二卷

晉紀一卷　晉鄧粲撰　清湯球輯　廣雅書局本　別有黃奭陳運溶輯本　吳志著錄十一卷

晉紀一卷　晉曹嘉之撰清湯球輯　廣雅書局本　別有黃奭輯本　吳志著錄十卷

晉武帝起居注一卷　晉某撰　清黃奭輯　漢學堂

晉泰始起居注一卷　晉李軌撰　清黃奭輯　漢學堂本　吳志著錄二十卷

晉咸寧起居注一卷　晉李軌撰　清黃奭輯　漢學堂本　吳志著錄十卷

晉太康起居注一卷　晉李軌撰　清黃奭輯　漢學堂

本　吳志著錄二十一卷

惠帝起居注一卷　晉陸機撰　清湯球撰　廣雅書局本　吳志著錄

晉永安起居注一卷　晉某撰　清黃奭輯　漢學堂本　吳志著錄

晉建武起居注一卷　晉某撰　清黃奭輯　漢學堂本

晉太興起居注一卷　晉某撰　清黃奭輯　漢學堂本　吳志著錄晉建武大興永昌起居注二十卷

晉咸和起居注一卷　晉李軌撰　清黃奭輯　漢學堂本　吳志著錄十六卷

晉咸康起居注一卷　晉某撰　清黃奭輯　漢學堂本　吳志著錄二十卷

晉康帝起居注一卷　晉某撰　清黃奭輯　漢學堂本　吳志著錄晉建元起居注四卷

晉永和起居注一卷　晉某撰　清黃奭輯　漢學堂本　吳志著錄二十四卷

晉孝武帝起居注一卷　晉某撰　清黃奭輯　漢學堂本　吳志著錄晉寧康起居注六卷

晉太元起居注一卷　晉某撰　清黃奭輯　漢學堂本　吳志著錄五十四卷

晉隆安起居注一卷　晉某撰　清黃奭輯　漢學堂本　吳志著錄十卷

晉義熙起居注一卷　晉某撰　清黃奭輯　漢學堂本　晉志著錄三十四卷

雜史類

三墳注一卷　晉阮咸撰

周書注十卷　晉孔晁撰　元至正十四年劉貞嘉興刊本　吳志著錄八卷

春秋後語一卷　晉孔衍撰　清劉學寵輯　青照堂本　別有王謨黃奭王仁俊輯本　吳志著錄孔衍春秋時國語十卷春秋後國語十卷

春秋後國語殘存九卷　晉孔衍撰　顯微膠卷本

春秋後傳一卷　晉樂資撰清黃奭輯　漢學堂本　別有王謨輯本　吳志著錄三十一卷

江表傳一卷　晉虞溥撰　王仁俊輯　玉函山房輯佚書補編本　吳志雜傳類著錄三卷

九州春秋一卷　晉司馬彪撰　清黃奭輯　漢學堂本　吳志著錄十卷

晉後略一卷　晉荀綽撰　清黃奭輯　漢學堂本　吳志著錄五卷

晉八王故事一卷　晉盧綝　撰清黃奭輯　漢學堂本　吳志職官類著錄十卷

晉四王逸事一卷　晉盧綝　撰清黃奭輯　漢學堂本　吳志職官類著錄盧綝晉四王遺事四卷

載記類

漢趙記一卷　前趙和苞撰　清湯球輯　廣雅書局本　吳志著錄十卷

二石傳一卷　晉王廣撰　清湯球輯　廣雅書局本
　吳志著錄二卷
趙書一卷　後燕田融撰　清湯球輯　廣雅書局本
　吳志著錄十卷
蜀李書一卷　晉常璩撰　清湯球輯　廣雅書局本
　吳志著錄常璩漢之書十卷按顏氏家訓書證篇云蜀
　李書一名漢之書
燕書一卷　前燕范亨撰　清湯球輯　廣雅書局本
　吳志著錄二十卷
南燕書一卷　南燕王景暉撰　清湯球輯　廣雅書局
　本　吳志著錄南燕王景暉南燕錄六卷
涼記一卷　前涼張諮撰　清湯球輯　吳志著錄八卷
涼州記一卷　北涼段龜龍撰　清張澍輯　二酉堂本
　別有湯球輯本　吳志錄後涼段龜龍涼記十卷
西河記一卷　晉喻歸撰　清湯球輯　廣雅書局本
　吳志著錄二卷
秦書一卷　前秦車頻撰　清湯球輯　廣雅書局本
　別有王仁俊輯本　吳志著錄三卷

傳記類

羣輔錄一卷　晉陶潛撰　閏竹居本
晉諸公敘讚二卷　晉傅暢撰　清傅以禮輯　傅氏家
　書本　吳志雜史著錄傅暢晉諸公讚二十一卷
三輔決錄注一卷　晉摯虞撰　王仁俊輯　續玉函山

房本　吳志著錄七卷

會稽典錄二卷存疑一卷　晉虞預撰　周樹人輯本　吳志著錄二十四卷

汝南先賢傳一卷　晉周斐撰　說郛本

楚國先賢傳一卷　晉張方撰　清陳運溶輯　麓山精舍本　吳志著錄張方楚國先賢傳贊十二卷

襄陽耆舊記三卷　晉習鑿齒撰　清任兆麟訂　心齋十種本　吳志著錄五卷

長沙耆舊傳一卷　晉劉彧撰　清陳運溶輯　麓山精舍本　吳志著錄劉彧長沙舊傳讚三卷

零陵先賢傳一卷　晉司馬彪撰　清陳運溶輯　麓山精舍本　吳志著錄

益都耆舊傳一卷　晉陳壽撰　王仁俊輯　玉函山房輯佚書補編本　吳志著錄十四卷

列女傳一卷　晉皇甫謐撰　說郛本　吳志著錄六卷

高士傳三卷附逸文一卷　晉皇甫謐撰　清錢熙祚輯逸文　指海本　吳志著錄六卷

達士傳一卷　晉皇甫謐撰　王仁俊輯　玉函山房輯佚書補編本

孝子傳輯本一本　晉蕭廣濟撰　清陶方琦輯　漢孳室本　吳志著錄十五卷

孝子傳一卷　晉徐廣撰　說郛本　吳志著錄三卷

東林蓮社十八高賢傳一卷　晉某撰　說郛本

神僧傳一卷　晉釋法顯撰　說郛本

神仙傳十卷　晉葛洪撰　龍威祕書本
列女傳佚文一卷　晉葛洪撰　王仁俊輯　經籍佚文本　吳志著錄葛洪神仙良吏隱逸集異傳各十卷又云隋志有列仙傳十卷

政書類

晉律考三卷　程樹德輯　鉛印本
決疑要注一卷　晉摯虞撰　張鵬一輯　關中叢書本　吳志著錄
宗議一卷　晉賀循撰　王仁俊輯　續玉函山房本
答庾亮問宗議一卷　晉賀循撰　王仁俊輯　續玉函山房本
東宮舊事一卷　晉張敞撰　說郛本　吳志著錄十卷
後養議一卷　晉干寶撰　清馬國翰輯　玉函山房本　吳志禮類著錄五卷
通疑一卷　晉虞喜撰　清馬國翰輯　四明叢書本
廣林一卷　晉虞喜撰　清馬國翰輯　四明叢書本　吳志儒家類著錄二十四卷
釋滯一卷　晉虞喜撰　清馬國翰輯　四明叢書本
祭典一卷　晉范汪撰　清馬國翰輯　玉函山房本　吳志禮類著錄三卷
雜祭法一卷　晉虞諶撰　清馬國翰輯　玉函山房本
晉公祭禮秩故事一卷　晉傅暢撰　清傅以禮撰　傅氏家書本　別有黃奭王仁俊輯本　吳志職官類著

錄九卷

晉百官表注一卷　晉荀綽撰　清黃奭輯　漢學堂本　吳志職官類著錄十六卷

山公啟事一卷佚事一卷　晉山濤撰　葉德輝輯　觀古堂本　吳志總集類著錄三卷

地理類

帝王經界記一卷　晉皇甫謐撰　清王謨輯　重訂漢唐地理書鈔本

晉地道記一卷　晉王隱撰　清王謨輯　重訂漢唐地理書鈔本　別有畢沅黃奭輯本　吳志著錄失名元康三年地記六卷　注謂續漢郡國志注引晉元康地記

晉太康三年地記一卷　晉某撰　清畢沅輯　經訓堂本　別有王謨黃奭王仁俊輯本　吳志著錄晉太康土地記十卷

十四州記一卷　晉黃恭撰　清王謨輯　重訂漢唐地理書鈔本

畿服經一卷　晉摯虞撰　清王謨輯　重訂漢唐地理書鈔本　吳志著錄一百七十卷

九州略記一卷　晉樂資撰　清王謨輯　重訂漢唐地理書鈔本　吳志著錄樂資九州記

關中記一卷　晉潘岳撰　葉昌熾輯　毄淡廬叢稿本　吳志著錄

三齊略記一卷　晉伏琛撰　葉昌熾輯　觳淡廬叢稿本　別有王仁俊輯本　吳志著錄伏琛齊記

陽羨風土記一卷附校刊記一卷補輯一卷考證一卷　晉周處撰　清王謨輯　金武祥校刊並補輯章宗源考證　粟香室叢書本　吳志著錄周處風土記三卷

會稽記一卷　晉賀循撰　周樹人輯　會稽郡故事雜集本　吳志著錄

洛陽記一卷　晉陸機撰　葉昌熾輯　觳淡廬叢稿本　吳志著錄

鄴中記一卷　晉陸翽撰　龍谿精舍本　吳志著錄二卷

荊州記一卷　晉范汪撰　清陳運溶輯　麓山精舍本　吳志著錄

宜都記一卷　晉袁山松撰　說郛本　吳志著錄袁山松宜都山水記

湘中記一卷　晉羅含撰　清陳運溶輯　麓山精舍本　別有王仁俊輯本　吳志著錄

南康記一卷　晉鄧德明撰　說郛本

潯陽記一卷　晉張僧鑒撰　說郛本

南方草木狀三卷　晉嵇含撰　百川學海本　吳志著錄二卷

交州記二卷　晉劉欣期撰　清曾釗輯　嶺南遺書本　吳志著錄

廣州記一卷　晉顧微撰　說郛本

益州記一卷　晉任豫撰　說郛本　吳志著錄杜預益州記

華陽國志十二卷附補華陽國志三州郡縣目錄一卷校勘記一卷　晉常璩撰　清廖寅補目　顧觀光校勘　龍溪精舍本　吳志著錄

華陽國志佚文一卷補遺一卷　王仁俊輯　經籍佚文本

述征記一卷　晉郭象生撰　葉昌熾輯　觳淡廬叢稿本　吳志著錄二卷

西征記一卷　晉戴祚撰　葉昌熾輯　觳淡廬叢稿本　吳志著錄

西域記一卷　晉釋道安撰　清陳運溶輯　麓山精舍本　吳志著錄

佛國記一卷　晉釋法顯撰　龍谿精舍本　吳志著錄

目錄類

中經簿一卷　晉荀勗撰　吳志著錄十四卷

以上書目中所謂的「吳志」，即指吳士鑑所補的〈晉書藝文志〉。老師於〈兩晉遺籍輯存〉序說：「《晉書》十志，獨闕藝文，清季學者，紛紛爲之補撰，其見收於《二十五史補篇》中者，有丁國鈞、文廷式、秦榮光、吳士鑑、黃逢元五家，體例皆不能如姚振宗〈後漢藝文志〉、〈三國藝文志〉之精善。五家之中，吳士鑑於《晉書》用力最勤，此文因以吳志爲據。今行仁壽本二十五史之《晉書斠注》，即士鑑所撰，其書成於晚年，淹貫賅洽，不愧爲正史之一名注。至士鑑之補〈晉書藝文志〉，則係早歲之作，存佚不辨，遺闕亦所不免，後目凡無『吳志著錄』字樣者，皆吳志所失收，在駱所輯今存兩晉人著作三百三十三種中吳志失收者已達五十三種，倘並佚而不存者計之，則遺闕必更多矣。」⑤是老師所收歷代遺籍輯存的書目亦必取證於歷代相關的史志。

老師在《兩晉遺籍輯存》的序中又說：「今目除四庫所收均已包括在內外，計增今存或佚而有輯本之晉人著作二百九十二種。」吉郎初受師命撰寫《兩晉史部遺籍考》時，即曾惑於書籍之多，且思能盡得其所有版本，因就老師所提點，遍查《叢書大辭典》及《叢書子目類編》，果然，老師所輯得的所有書目，大概都可因此而尋出端倪。

老師在〈叢書大辭典草創本序例〉引張香濤的話說：「叢書最便學者，爲其一部之中，可賅羣籍，蒐殘存佚，爲功尤鉅，欲多讀古書，非多買叢書不可。」又引李雁晴的話說：「前人以釋、道二家典籍，散亡較少者，以有釋、道二藏爲之裒聚也。於是倡爲儒藏，以仿二氏者。不知叢書彙刻，亦即藏之具體而微者也。保存之效，初無二致。蓋單行散刻，得之匪難，失之亦易；叢書部帙浩繁，關懷既篤，庋藏遂謹。此叢書之足以保存著述者一也。零篇短簡，單行則不成帙，合刻則可備數，則書有不適於獨行者，非叢刻無以圖存。此叢書之足以保存著述者二也。翻刻圖表，流行不廣者，既以僻而見遺，不合時好者，又以異而被擯，又若坊賈牟利，是丹非素，尤多遺珠之憾焉；叢書之刻，則或以地而舉，或以時而舉，或以人而舉，或以類而舉，標的既懸，摧殘名著之慮，自可減免矣。此叢書之足以保存著述者之三也。自明以來，刊印叢書，厥風丕熾，爭奇鬥妍，或誇其博而擴其量，或矜其精而美其質，於是綱羅散佚，垂絕之緒，賴以不墜有焉，校理祕文，複出之本，後來居上者有焉。此叢書之足以保存著述者四也。叢書彙刻，保存圖籍，既如上述，是以書無單行者，既可求之叢刻，以補其乏；書有單行，復可求之叢刻，以較其異；書之一見於叢刻者，既可盡其書之用，書之二、三見於叢刻者，更可得其本之佳者而盡其用。」由此可見，搜書於叢刻，確可得左右逢源之樂。

《叢書子目類編》所收，為 2797 種叢書中所有子目的分類目錄，吉郎撰寫《兩晉史部遺籍考》時，即曾取與老師所輯史部書目中所列的版本相比較。如有關「晉人對古史之整理」⑥，老師所列的有《帝王世紀》、《周書注》、《三墳注》諸書。《帝王世紀》老師列於別史類，《三墳注》及《周書注》在雜史類。老師說：

> 帝王世紀一卷　晉皇甫謐撰　清宋翔鳳輯校　訓纂堂本
> 　別有顧觀光錢保塘王仁俊輯本　吳志雜史類著錄十卷
>
> 三墳注一卷　晉阮咸撰
>
> 周書注十卷　晉孔晁撰　元至正十四年劉貞嘉興刊本
> 　吳志著錄八卷

此三書在《叢書子目類編》所收的版本則有：

帝王世記一卷，晉皇甫謐撰，見於說郛（宛委山堂本）弓五十九。

帝王世紀一卷，補遺一卷，附錄一卷，晉皇甫謐撰，清宋翔鳳集校，見於訓纂堂叢書。

帝王世紀一卷，晉皇甫謐撰，清顧觀光輯，見於指海（道光本、景道光本）第六集、叢書集成初編史地類。

帝王世紀一卷，晉皇甫謐撰，清王仁俊輯，見於玉函山房輯佚書續篇史篇總類。

汲冢周書十卷，晉孔晁注，見於古今逸史逸記、廣漢魏叢書（萬曆本）別史、三代遺書、祕書二十一種（康熙本、嘉慶本）、增訂漢魏叢書（乾隆本、紅杏山房本、三餘堂本、大通書局石印本）經翼、四部叢刊（初次印本、二次印本、縮印二次本）史部、景印元明善本叢書十種古今逸史逸記。

逸周書十卷，見於漢魏叢書（萬曆本、景萬曆本）史籍、四庫全書史部別史類、知足齋叢書第一集、叢書集成初編史地類。

汲冢周書六卷，見於祕書九種。

汲冢周書十卷，校正補遺一卷，附錄一卷，晉孔晁注，清盧文弨校，見於抱經堂叢書（乾隆本、景乾隆本）、廣漢魏叢書（嘉慶本）別史、四部備要（排印本、縮印本)史部古史。

三墳一卷,晉阮咸注,見於范氏奇書、古今逸史逸記、祕書二十一種(康熙本、嘉慶本)、景印元明善本叢書十種古今逸史逸記。

由此可見,叢刻之書實有大用。

至於久佚之書而能重見於天日者,尤爲老師所欣喜。如〈兩晉遺籍輯存〉的序裡,老師曾說:「今存晉人著作除四庫所收外,近自敦煌發見者有徐邈等《毛詩音》殘卷及孔衍《春秋後國語》殘卷。隋志載『梁有《毛詩音》十六卷,徐邈等撰;《毛詩音》二卷,徐邈撰。』可知徐邈自撰者僅二卷,至十六卷本則彙集諸家音而成,徐邈音亦在內。敦煌卷子本《毛詩音》,今藏於倫敦者,始〈周南·關睢〉第一,至〈唐風·蟋蟀〉第十,存者一百六十九行;又一本今存於巴黎,起〈大雅·文王之什·旱麓〉,至〈蕩之什·召旻〉,存者九十八行;以陸德明《經典釋文》所引徐氏音校之,有同有異,則敦煌兩本即『徐邈等撰』之十六卷本,而非徐邈一人所撰之二卷本,彰彰甚明。先是馬國翰嘗就《經典釋文》輯毛詩徐氏音爲一卷,與敦煌兩本可以並存。孔衍《春秋後語》之發見,較徐邈《毛詩音》尤爲重要。」又說:「至《春秋後語》,拼合巴黎、倫敦及羅振玉所藏敦煌九個卷子本,竟可使十卷之書僅缺一卷;各卷雖仍首尾不完,然久佚重出之古籍,大體仍存,亦可謂至難得矣。」因此,老師以爲:「此書絕於人世者垂七、八百載,一旦出於重荒萬里之外,吾輯〈兩晉遺籍輯存〉,因得藉顯微膠卷拼合印入書中,誠快事也。」

五、四庫全書續編

老師所輯〈兩漢遺籍輯存〉，有一副標題，爲「續修四庫全書計畫之十」，〈三國遺籍輯存〉爲「續修四庫全書計畫之十一」，其後之「兩晉」、「南北朝」分別爲「計畫之十二」、「十三」，則老師所以作「古籍輯存」之用意亦可知矣。

老師在〈中國典籍整理印行計畫〉中以爲，對中國典籍之整理，亦可以《四庫全書》著錄書爲主體，再增補編、續編、外編，分別印行。老師說：「家駱一度計畫將各書原本每二頁併爲一面，每册一千二百册，則《四庫全書》著錄書全部印出不過洋裝二千五百册，其他各編印成之册數，就目前能得各書言之，度不能超過洋裝一千五百册，即共爲洋裝四千册，其分配情形約如下：

㈠《四庫全書》正編　洋裝二五〇〇册

㈡《四庫全書》補編　洋裝　三〇〇册

㈢《四庫全書》續編　洋裝一〇〇〇册

㈣《四庫全書》外編　洋裝　二〇〇册

《四庫全書》收先秦迄清初著述三四七〇種，本爲吾國典籍最大之結集，獨惜所據非盡出善本，而重繕新增之訛誤尤多，除庫本僅有之書今不得不據庫本影印外，凡存有善本、校本，或庫本當日所據之版本者，應影印以代庫本，四庫全書館所撰考證，及諸家校記亦應取以散附各書之後。此言《四庫全書》正編者一也。」至於所謂「補編」、「續編」、「外編」，老師也都有很詳細的說明。老師說：「《四庫全書》存目之書數達六八一九種，其間不乏名著，而誤遭貶落；至焚燬書目所載數千種，則關涉明清之際史蹟爲尤鉅；佚在東瀛，或久祕敦煌，以及當時採訪所未及者，凡今所可見，而又確有著錄之價值者，皆應補撰提要，影印流通。此言《四庫全書》補編者二也。」老師又說：「清代著述倍於往古，未經結集，訪求日艱，凡今搜集可及而又確足傳世者，應次第影印，並撰提要弁於首。此言《四庫全書》續編者三也。」又說：「四庫著存目中列韓、日、越、印及德、意、比、葡、西、波蘭諸國人著譯三十八種，今稍變其例，凡以外國文字撰譯之漢名著，亦在甄採之列。此言《四庫全書》外編者四也。」

《四庫全書》所鈔既泰半爲通行本，其中，又多傳寫訛誤，如乾隆四十三年五月二十六日上諭即曾說：「進呈各書，朕信手抽閱，即有訛舛，其未經指出者，尚不知凡幾？既有校對專員，復有總校總裁，重重覆勘，一書經數人手眼，不爲不詳，何竟漫不經意，必待朕之遍覽乎？若朕不加檢閱，將聽其訛誤乎？」章椿伯（太炎之兄）也說：「文瀾閣鈔補時，發現書中誤字，在每頁之首一字，細求其故，乃知館臣繕本進呈時，必故留誤字，待高宗校出指斥，以示聖明之天縱。故所留誤字有定處，以便上之指而目之也。然上苟失校，未予指出，則諸臣更不敢改正，遂爲四庫定本。」乾隆五十二年六月十二日上諭還說：「《黃庭堅詩集注》有連篇累頁空白未填者，實草率已極。」張元濟更曾取宋晁說之《嵩山文集》舊鈔本校庫本而發現，卷一「元符三年應詔封事」一篇庫本刪二百九十二字，卷二「靖康元年應詔封事」一篇庫本刪三百七十七字，卷三「達言」一篇庫本刪二百五十三字，卷二十雜文九篇庫本全刪；郭伯恭也嘗取《四部叢刊‧續編》之《客齋隨筆》等數書與庫本隨意檢對，庫本整篇整段刪削者難於枚舉，即錄存之文字，如「胡」、「虜」、「賊」、「寇」等字悉皆塗改，大抵「胡」改爲「金」，「虜」改爲「敵」，「賊」改爲「人」，「虜廷」改爲「北廷」，「入寇」改爲「入塞」，「南寇」改爲「南侵」，人名對音，也大半改換，往往一頁塗乙數字至數十字不等⑦。名著中外的《四庫全書》尚且如此，其後，更有不少新出之書尚待整理，所以老師會有中國典籍整理印行計畫。

六、結語

老師自年少起，即有志於學術，其先秦、兩漢、三國、兩晉、南北朝、唐五代、兩宋等歷代遺籍之輯存，以至於「中華全書」之擬議，無非都在爲中國羣籍之整理奉獻心力。

隋代牛弘曾以典籍遺逸爲憂，因曾上表言及書有五厄⑧。自秦下焚書之令，歷經王莽之末，長安兵起，宮室圖書，確曾並從灰燼；及魏文代漢，又經五胡亂華等，或因天災，或由人禍，不少中國人的智慧財產，是曾從此盡付東流。因此，老師的一生，對於中國典籍之保存，實有其不朽的貢獻。

今逢老師九十冥誕，追思之餘，謹述其略如上，其有疏漏，學長先進幸補正之。

註 釋

①詳見楊師家駱著《仰風樓文集初編·中國典籍整理印行計劃》，楊門同學會編刊。

②同前。

③同前。

④同前。

⑤吉郎按：老師所寫〈兩晉遺籍輯存〉一文，蓋因手民之誤，所謂「吳志著錄」者，或排爲「晉志著錄」。又《二十五史補編》（開明書店）的「編」字，則作「篇」。

⑥參見拙著《兩晉史部遺籍考》第一章第一節。

⑦見《仰風樓文集·中國典籍整理印行計劃》。

⑧隋書卷四十九牛弘傳。

參考書目

仰風樓文集　楊家駱著　楊門同學會編刊

叢書大辭典　楊家駱著　中華學典館復館籌備處

兩晉史部遺籍考　廖吉郎著　嘉新文化基金會

楊家駱教授與參考工具書

鄭恒雄

摘　要

參考工具書是人們尋求知識、讀書治學的「工具」，圖書館員往往藉以爲讀者解答疑難、指點迷津。編纂工具書不僅是知識學術的整理工作，尤其能便利大衆利用，功德無量。本文探討楊家駱教授畢生從事的參考工具書編纂事業，包括各種辭典、百科全書、年鑑、叢書、書目、索引、名錄指南以及對於學術參考諮詢工作的主張，闡述及貢獻與理念。

關鍵字：楊家駱教授、參考工具書

一、前言

民國五十二年我進師範大學社會教育學系選讀圖書館組，跟隨楊老師學習「中文參考資料」，這是系必修課程。「中文參考資料」的主要內容是以我國的「參考工具書」爲範圍，一直到現在仍是大學圖書資訊學系的必修課程。由於時代的改變，目前有些學校把這個課程與「西文參考資料」以及電子資源結合，而改成「參考資源」，然而，中文的參考工具書仍是主要的內容。因爲圖書館員，尤其是參考館員（Reference Librarian）往往需要利用各種參考工具書爲讀者解答疑難、指點迷津。圖書館員必須瞭解參考工具書的體例與用法以及相關的知識，才能爲讀者提供服務。不僅如此，參考工具書也是人們讀書治學尋求知識的「工具」，是讀書的利器，因此許多大學也有相關的通識課程，讓同學瞭解工具書以輔助讀書治學。

工具書的編纂是提供利用的先決條件，編纂工具書不僅是知識學術的整理工作，尤其能便利大衆利用，功德無量。楊老師一生從事參考工具書的編纂工作嘉惠學子，也是圖書館從業館員的導師。楊師〈我的終身事業〉①文中描述他的理想與計畫，是很有抱負與遠見的文化事業，其中許多都是工具書的編纂事業。僅就所知略記老師對於編纂參考工具書的貢獻與理念。

二、編纂參考工具書的貢獻與理念

㈠辭典

楊老師〈除夕辭歲啓〉文中提到「方逾志學之年，即事辭典之業」。②楊師重印《四庫大辭典》自序：「駱十六歲時妄著是書十九歲時稿成」。《四庫大辭典》是辭典也是索引，同時它是書目的辭典與索引。因爲《四庫大辭典》收錄清朝編纂的《四庫全書總目》所記載的圖書，包括「著錄」與「存目」。《四庫大辭典》將其中的各書及其著者，編製檢索條目，再按四角號碼檢字法編排，作爲查找《四庫全書》以及未收書的索引。各條之書名或著者之下有解釋，因此也是辭典。所以《四庫大辭典》是集辭典、索引與書目爲一體的工具書，條目之間還有「參見」關係，以今日觀之仍是一部體例嚴謹，合乎潮流的參考工具書。這部辭典是楊師於民國十七年春開始編輯，至民國十九年冬成書，民國二十年八月撰述自序並出版。民國二十年至三十五年間先後重印五次，來台後於民國五十六年四月間重印。依據自序所言楊師於民國十七年後曾供職教育部，可知楊師亦曾是圖書館員。

楊師另編有《叢書大辭典》，體例與《四庫大辭典》相仿，收錄我國歷代叢書約六千種，是辭典式的叢書書目，同時也是索引。內容包括「叢書總目書名」、「叢書總目人名」、「叢書子目書名」及「叢書子目人名」四類型的條目，也按四角號碼檢字法編排，作爲查找我國歷代叢書的索引，條目也有釋義，因此也是辭典。這部書「溯自著手編纂，以迄印成，先後歷時十餘年，其間稿成而補輯版成而重排者屢。底稿卡片，尤爲巨觀；凡總目書名條六千餘張，總目人名條一萬張，子目書名條十七萬餘張，子目人名條二十餘萬張，計得三十八萬六千張，都凡五百萬言，儲之充棟，載之專車；」③。

從以上兩書觀之，條目繁多，以一人之力編纂成書，實在難能可貴，亦可窺楊師之毅力與編排組織「穿針引線」之功力。兩部辭典其實就像兩個專門的圖書館，因爲條目的結構包括「書名」、「人名」以及參見關係，如同是圖書館的書目及人名卡片目錄，呈現的就是圖書館的目錄組織。

楊老師還有一項偉大的工作就是「中華大辭典」的編纂。楊師於民國十六年起編纂這部大辭典，其初以清人阮元的《經籍纂詁》爲基礎，之後受其父執購藏《牛津大辭典》的影響，遂有編纂中國牛津大辭典的心念。

> 四十年來已積有的初稿資料：單字約六萬個（《康熙字典》約四萬七千個，《大漢和辭典》約四萬九千七百個），詞語約一百三十萬條（《佩文韻府》約四十五萬條，《大漢和辭典》約五十二萬條），分析為定義三百餘萬則，解釋及引書字數在兩億以上（《大漢和辭典》約四千萬字）。④

這部大辭典有試印本兩册，僅解釋兩個字，一是「且」字，另是「一」字。

> 民國四十六年試印『釋且』一冊六十頁，十萬言，所釋『且』字字義一百一十八義，詞語二百五十四目（大漢和辭典釋『且』字字義二十六義，詞語四十二目，僅佔一頁半，約五千言）。
>
> 民國四十八年又試印正書第一冊約一千頁，一百萬言，為「釋一」之前半，「一」字字義一〇八義，詞語

七五一三條，推算「釋一」全部約二千頁，二百萬言（《大漢和辭典》「釋一」字字義五十義，詞語二七〇八目，凡七十二頁，二十四萬言）。⑤

民國五十六年一月十四日楊師應臺灣大學圖書館學會邀請，以「學典與辭典」爲題作專題演講。當時他說：「我可告慰於各位的是這書的第一至第五册七千頁一千數百萬言將於明冬至後春間一次出版，全書册數很難預定，大致至少有八十册。」⑥「民國五十五年中華大辭典正稿由中、日合作開始發刊，大約再有十年，全書八十巨册，方可出齊。」⑦不過，這部大書自試印本之後迄今未見出版，十分可惜！約在民國六十二年間曾在楊師家中見其橱櫃書架擺滿無數紙袋的稿件，不知是否爲原稿，也不敢妄問。

㈡百科全書、類書

西洋「百科全書」（Encyclopedia）一詞楊師多稱作「學典」，自認是源自李石曾先生所創，而李石曾先生則說是楊師所譯。楊師著有《四庫全書學典》並倡議「學典學」。在民國十九年二月二十一日成立「中國辭典館」，後改名「中國學典館」，總館設於南京，分館設於上海。這「中國辭典館」，一面是是《中國學術百科全書》的編輯機構，一面是《四庫大辭典》等書的出版機構。

楊師編有《中國文學百科全書》屬於專題性的百科全書。條目性質包括：書名、題名、人名、事典、概論、專題、術語、參見等八種。條目達六萬餘。在當時國人「百科全書」觀念尚不普及，此書可謂是開風氣之先。這部百科全書是楊師《中國學術百科全書》計畫六大編之一。其餘的五大編分別是有關：中國經學小學、中國哲學宗教、中國美術、中國科學工藝、中國史學。《中國文學百科全書》於民國二十四年完成付排，是首先完成的一部大書。此書線裝本分爲十六函八十册，洋裝本訂爲八厚册。可惜印裝完成時恰是民國二十六年「八一三」日軍砲轟上海虹口前夕，因印刷場即在虹口，搶救困難。前半部已裝部分，大都搶運到安全地帶，後半部只搶運出數十部，其餘全遭中彈焚燬。所以此書印本流傳多半僅有前半部，即多爲前四册，少有後四册。所幸原稿全部運往四川，都混合列入《中華大辭典中。這個時候楊師正值青年時期，年約二十六、七歲（此時約當民國二十七、八年）。

民國以來受西洋的影響國人多捨棄編纂類書，而趨向百科全書。百科全書不同於古代採集羣書、隨類相從，裒集羣言、縷析條分的「類書」，而是廣泛收集各學科或某一學科之重要知識，分條列款作爲檢索之工具書，亦可當一般圖書閱讀以增進新知。類書近似索引可供檢索古文獻之用，百科全書則近似辭書，是有系統撰述的知識。從楊師編纂的《中國文學百科全書》，可知其對百科全書有深刻的見解，玆引下文可略窺其貌：

因為中國向來未有過真的百科全書——大英百科全書式的百科全書，而坊間以「百科全書」命名的書，如不是各種概論的彙刊，那就是「國民快覽」、「萬事不求人」一類書的擴大，所以我不得不向對本書尚未寓目的人，作下列的說明：本書不是叢書，不是詩話、詞話，也不是彙載文學論文或文學作品的總集，更不是如《淵鑑類函》、《佩文韻府》之以供人「獺祭」為目的的類書；他是一部將中國文學上的一切知識，以時代的眼光去敘述，以單純的機械的方法去排列條文次序的百科全書。每一條文皆可自為起止，而在各條目間，實又皆有其聯結；循其關係條目去讀，必能發見其貫串的情形。每一條條文，論述雖力求其詳，但絕不迻陳資料，濫引作品來誇示淵博，以占篇幅。（以上是我努力的目標，能否完滿的達到目標是另一問題）⑧

這段話清楚的說明了《中國文學百科全書》的體例，也闡述了「百科全書」不是叢書、不是類書；既非詩話，也非詞話；尤其提到百科全書與當時坊間一些取名「快覽」或「不求人」（其實是一些手册、便覽）之類的書不同。「百科全書」有其特有的全新的體例，是以時代的眼光去敍述，換言之不是剪裁陳篇、堆切故實的傳統類書；每一條目都用單純機械的方法排列，就是採用所謂文字的「排檢法」序列，如筆畫法、四角號碼法、字順法等來排列款目；因爲採用「排檢法」，所以上下條目間並無論理的關係，只有機械的排檢次序而已。然而衆多條目其間的關係則是以「參見」或「見」的關係聯結。楊師的這些看法完全符合當今百科全書的體例。在民國二十六年出版的這部《中國文學百科全書》呈現給國人。楊師不僅有理論同時實際從事百科全書的編纂工作，指引國人編纂新式百科全書的方法。

在百科全書方面，楊師認爲唐朝顏真卿主編的《韻海鏡源》是中國第一部百科全書。後來楊師在臺北世界書局時，於民國五十一年二月集印了明朝永樂皇帝的《永樂大典》，這是全世界迄今最大的百科全書，世界書局集印本應是現存殘本最完整的版本，全書共一百册。

楊師另外也集印由鼎文書局出版的《十通分類總纂》，一部三十册，是接續《三通》、《九通》而來的典志體史書，取材十分豐富。雖是史書，體例與類書相近，也可視爲捃拾古代史事的「工具」書看待。書前第一册是全書的「檢讀記」，爲與原書卷數類名的對照表。民國六十六年集印鼎文版《古今圖書集成》一部七十九册，加上由臺灣大學及師大社教系兩校圖書館學系組學生協助編輯的《古今圖書集成各部列傳綜合索引》一册共八十册。

㈢年鑑

楊師編有《圖書年鑑》1933年份，分兩册。上册是《中國圖書事業志》內容包括：中國圖書大辭典述略、圖書事業法令彙編（包括圖書館與出版兩類）、圖書館概況、出版家（共266家）；下册是《新書總目提要》，收錄圖書8474種，書目分爲14編702類和397個支類。14編包括：總類、哲學、語文學、文學論著、創作文學、繙譯文學、藝術論著、教育、自然科學、應用科學、社會科學、經濟、政治法律、歷史地理。此年鑑民國二十六年出版續編一册，記載資料至民國二十六年，内容包括〈圖書事業志〉及〈新書總目提要〉。

「年鑑」西洋人稱爲Yearbook或Almanac，是按年記事的書，外國的體例内容多半是記事與統計資料。我國在五四運動之後興起年鑑編纂的風氣，迄今方興未艾。楊師的《圖書年鑑》屬於專題年鑑，包括記圖書事業的概況事實，尤其進行圖書館、出版的調查統計，呈現圖書相關事業的整體面貌。下册《新書總目提要》具有全國新書總目的性質，同時每書附有提要尤屬不易，是當時學術著述的總紀錄。年鑑的體例要而言之是「博、要、實、變」。内容廣博，但要言不煩博而能約；且逐年紀錄史實，提供不斷變動新穎的事實性資料，是「鑑往知來」的工具。《圖書年鑑》的内容與體例給我們很好的示範，其體例與外國年鑑不謀而合。

㈣叢書

「叢書」係彙刻諸書，不是體例嚴謹的工具書。叢書子目可當一般書讀，成套的叢書本身也是常常需要使用或查找的參考材料。楊師曾在世界書局主編「中國學術名著」叢書，這是一部大書，包括的子目多達近三千種。大叢書裡還有小叢書，譬如其中的《目錄學名著》有三集，包括歷代諸多著名的書目，如第三集收錄《漢書藝文志》到《明史藝文志》等書目有五十三種，一套十册，是歷代史志的合刊。所選的本字應該是大陸版，每册都有四角號碼索引，十分實用。叢書的編輯貴在精選重要圖籍及慎選版本，以有助選讀利用及便利保存。

楊師後來在鼎文書局又主編「國學名著珍本彙刊」及「中國學術類編」兩部大叢書，其中包括許多小叢書及其經史子集各種子目。如《國學名著珍本彙刊》，其中也有不少工具書，如《類書彙刊》、《書目彙刊》、《索引彙刊》、《傳記年譜彙刊》等收錄了古類書、書目索引與及傳記資料。「中國學術類編」亦收有《說文解字詁林正補合編附索引》、《古典複音詞彙輯林》、《十通分類總纂》等書。

前面提到楊師於民國二十五年編有《叢書大辭典》，收錄我國歷代叢書約六千種，是辭典式的叢書書目，同時也是索引。民國五十一年在臺北以「中國學典館復館籌備處」之名義予以重印，並將上海圖書館的《中國叢書綜錄》第一册「總目分類目錄」附於後改名「叢書總目類編」。另外把《中國叢書綜錄》之第二册單獨印行，稱爲《叢書子目類編》爲《叢書大辭典》附册。如此安排，用意在配合《叢書大辭典》，相輔爲用。

楊師又撰有《四庫全書概述》內容分文獻、表計、類敍、書目四部分，都是討論記述與《四庫全書》這部大叢書有關的著述。加以書中提及續修四庫全書的呼聲，爲後人的續修作了基礎的工作。記得楊師上課時要我們讀李石曾與楊師同撰的《世界學典與四庫全書》，該書除了介紹《四庫全書》之外並介紹類書以及引進編纂百科全書的觀念。

㈤書目

前面提到的《四庫大辭典》及《叢書大辭典》兩書其實也是書

目。楊師編有《圖書年鑑》下册是《新書總目提要》也是書目。另外楊師編有《歷代經籍志》記錄自漢代以迄清末的各代圖書，則是我國古籍的總書目。《圖書年鑑》的「新書總目提要」是民國總書目，可以說是歷代史志的接續。這樣其實就形成我中華全國的總書目。這種觀念與做法與晚近各國國家圖書館從事的「國家書目」（National Bibliography）並無二致。

楊師在《圖書年鑑》上册《中國圖書事業志》中有「中國圖書大辭典述略」提及七組六十三步的計畫，大都是目錄的計畫，包括書目的：提要、考訂、版本、彙編、特種著述、傳記掌故及序列七組。其中《四庫大辭典》、《叢書大辭典》、《民國以來新書總目提要》、《歷代經籍志》等都已出版。⑨

有關我國著作名數方面，楊師在民國三十五年曾發表統計數量，且分記先秦及西漢以迄明清至民國抗戰前各朝代，總計爲：253435種，2460424卷，其中有3068之數爲約計無卷數總類者。而認爲中國書的數量等於《四庫全書》的72倍。⑩

㈥索引

楊師編纂的工具書如前述的《四庫大辭典》及《叢書大辭典》其實都是以四角號碼編製的索引。所編的其他工具書有往往也附有索引。所謂「索引」就是指引資料出處的工具，取便利用。楊師主持鼎文書局編務時，曾將清代何焯的《駢字類編》改編爲《古典複音詞彙輯林》，其實後者正是前者的筆畫索引。這種索引的「排檢法」是採用先筆畫次部首的方法，爲此楊師亦有〈中國通用檢字號碼表〉的編訂。鼎文書局本的《說文解字詁林》也採用這種檢字法。

(七)名錄指南

楊師編過《全國機關公團名錄》，這在一般學者可能認爲是一種没有學術性的微不足道的工作。其實，「名錄指南」（Directory）是現代社會中重要的溝通交流工具。因爲現代的社會是充滿「機構」、「組織」、「團體」的社會，人們要隨時掌握取得這些機構等最新的資訊。我們的周遭其實有很多的這些資料，譬如電話號碼簿、通訊錄就是屬於這類工具。楊師很早就注意及此而且親身編纂《全國機關公團名錄》，紀錄黨政、文化、經濟、社會各方面所有一切組織約三萬餘所，條列其地址、主持人、沿革、組織、出版刊物等情。《圖書年鑑》裡介紹圖書館概況及出版家以及《新書總目提要》也都是屬於這種名錄指南。

民國二十五年完成《民國名人圖鑑》的編纂工作，也是一部巨作，歷時七年成書。這是從報紙、名人著作中摘取人物事蹟，又從機關團體名錄中摘取人物進行發函查訪，共得二萬餘篇。是「介於Who's Who's與史傳之間的書。敍述重徵實，避誇張，重臚陳，避判斷，非如Who's Who's之僅列履歷，亦非如史傳之旁採軼聞，所述事蹟，大體皆關係政教，而又爲世人所共見者。每傳間附照片一幀，但不能全。」⑪《民國名人圖鑑》是傳記資料的「名人錄」（Who's Who's）體裁，也是一種名錄。西洋人作學術研究，重視這種資料調查整理的工作，認爲是一種基本功，尤其需要持續不斷的進行整理編纂，作爲資料的佐證，也便於查考。楊師取法西洋融合固有體制，編纂此書，其體例可供仿傚。

(八)學術參考諮詢工作

從楊師的許多著述中可以瞭解他已具有現代圖書館提供「參考諮詢」（Reference Service）的觀念與作法。楊師於民國二十二年印行的《圖書年鑑》中已提及設立學術諮詢處的計畫，及建立「專題資料庫」，提供學術諮詢及利用。

楊師還有「實驗圖書館」的計畫，提到要彙編全國圖書館藏書聯合目錄以及進行「館際流通」制度。這是多麼先進的看法！因爲目前國內外正如火如荼的進行「合作編目」、「資源共享」，不就是這個觀念與作法嗎？目前國家圖書館的書目資訊中心建立的「全國圖書資訊網路」（NBINet）書目網路，其實就是建置「全國圖書聯合目錄」以便進行館際合作與圖書流通服務。楊師在民國二十五年就提出了這種進步的觀念與計畫，著實令人欽佩。

楊師還有「國際中國學術工作相助團」的計畫，認爲國外漢學者之著述有其精到之處亦有其訛誤所在，因此有「聯絡有志溝通中外文化的學者，組織這樣一個團體」，「我們好意去襄助他們，當然附帶的可以得到他們襄助我們的效果」。⑫我覺得這個構想與目前附設在國家圖書館的「漢學研究中心」的功能有若干相似之處。

三、結語

楊師家學淵源，其尊翁楊公肇謙曾翻譯法人狄岱麓（Denis Diderot, 1713-784）學典（L'Encyclopedia）達二百萬字，幼年時家藏圖書已有三十多萬册。僅舉此兩事足見其與衆不同。以下謹提幾點感想作爲結語，或可窺楊師的工具書理念與貢獻。

㈠畢生從事工具書編纂與出版：

民國二十六年楊師約當二十六歲即已先後出版《羣經大辭典》、《中國文學百科全書》、《四庫大辭典》及《叢書大辭典》。從上文中可見其一生所編工具書種類繁多，部册甚巨。民國二十五年七月發表的〈我的終身事業〉一文中已記錄出版著述24種，共38333頁，35472790字（以條目計凡6106318條）。所編工具書都以我國古籍爲範圍，經由目錄、索引與詞書等的編纂方法賦予古籍新的生命，而方便後人檢索利用。此可謂「燃燒自己，照亮別人」，精神與毅力實非常人所能及之。

㈡對於工具書見解獨到：

曾聽楊師說過工具書的「發凡起例」至爲重要，而不外「時、空、類、名」四字。也就是說工具書的體例與範圍包括四者，一是「時間」，應有其收錄之起迄，如某年至某年；二是「空間」，應有其地域之所在，如臺灣地區或中國各省各地；三是「類別」，應記工具書收錄資料的類別，主要是內容主題及形式，如文學、史學、哲學或更細小的主題與學科類目。同時應規範收錄資料的形式，如圖書、期刊乃至各種視聽非書資料。四是「名數」，亦即分條列款記錄資料名稱而有一定之數量，如《圖書年鑑》下册《新書總目提要》，收錄圖書8474種，書目分爲14編702類和397個支類。其他詞書、索引、名錄莫不如是。楊師不僅承繼中國目錄學的方法更能結合西洋新的體裁來編纂工具書，以適合時代之需求。如編纂百科全書、年鑑及各種索引與辭典。從所撰〈中國圖書大辭典述略〉、〈我的終身事業〉以及所編工具書體例及序言中都可見其獨有之見解，既有理論又有實踐。此與古代目錄學大家相仿，如宋人鄭樵編有書目〈藝文略〉又有目錄學《校讎略》；明人祁承㸁有〈澹生堂藏書目〉又有〈庚申整書略例〉；清人章學誠有〈通志藝文略〉又有《校讎通義》，都是理論與實務兼備，才能有獨到的見解與成就。

㈢「發揮集體的力量，延續功能的壽命」：

我兩度授業於楊師，他勉勵學生應該「發揮集體的力量，延續功能的壽命」，我認爲這兩句話或可作爲從事工具書編纂者以及圖書館從業人員的座右銘。因爲目錄的編製、圖書的採集、乃至當今書目資料庫的建置等往往需要集體的參與合作，才能成就。個人是渺小的，事業是永續的，我們要承傳前人的志業延續事業功能於不斷。我想楊老師二、三十歲時就編了許多大辭典和工具書，後來又成立辭典館，想實現他的理想，因此有此想法，我也感同身受。謹撰此文以紀念老師九十冥誕，並期望有志從事工具書編纂者繼續發揚老師的志業。

註　　釋

①楊家駱，〈我的終身事業〉，《仰風樓文集初編》（臺北：楊門同學會編刊民國60年），頁653～699。〈我的終身事業〉撰於民國25年7月1日。

②楊家駱，〈除夕辭歲啓〉，《仰風樓文集初編》（臺北：楊門同學會編刊民國60年），頁1

③《叢書大辭典》序例，頁9～10。

④楊家駱，〈學典與辭典〉，《仰風樓文集初編》（臺北：楊門同學會編刊民國60年），頁771。

⑤同註④。

⑥同註④，頁772。在臺大的演講我亦前往聆聽，當時我還是師大的學生。

⑦楊家駱，〈生命的尺度〉，《仰風樓文集初編》（臺北：楊門同學會編刊民60年），頁14「文話」。

⑧同註④，頁766～767。

⑨同註④，頁775～779。

⑩同註④，頁779～781。

⑪同註①，頁692。

⑫同註①，頁684。

楊家駱教授在文學創作方面的貢獻

黃慶萱

關於楊師家駱教授，世人所知，可能偏重於出版方面和學術方面，認爲楊教授是位傑出的出版家，知識淵博的學者；但對曾受業於楊師的學生們來說，楊師更是位優秀的文學家，極富哲思理趣的文學創作者。而且文言、白話，抒情、說理，無一不精。篇幅所限，這裡謹以師文〈除夕辭歲啓〉、〈生命的尺度〉二文爲例，來說明楊師在文學創作方面的造詣。

〈除夕辭歲啓〉是以駢文體寫作的：全文如下：

家駱方逾志學之年，即事辭典之業。日月不居，忽歷卅載；晨昏勤寫，未間一朝。積稿既已盈室；載之奚止五車。夙嬰板蕩，負墨本以身隨；屢值播遷，盛縹囊而俱往。瞿塘浪高，未遭砥柱之覆；裨海風惡，竟涉巨浸而存。幸免秦坑之劫；宛如魯壁之餘。然已脫簡之待補；況復汗漫而難尋乎！去歲始覆檢羣籍，重整長編。兼備形聲，選義以按部；互著通假，考辭而就班。徵採務勤，削誣說以存定讞；訓詁忌鑿，貴徵實而賤虛談。疏異參同，顧傳信傳疑之有準；條分縷析，冀識大識小之無遺。於是萬象絡繹於筆端；八紘馳騁於思緒。蘭臺給札，日理萬言；蟬錦為函，卷盈四百。擬始一而終亥，逐部撰成；欲舉重而若輕，分期刊布。悵夫駒光易逝，短綆難繫乎寸陰；蚖脂煎明，一燈每耿乎中夜。釋詞訓義，沈緬於蟲魚細碎之間；輯柳編蒲，整齊於篇章淆亂之後。其艱如事九仞之築；其瑣如膠百衲之琴。奈何簡未汗青；人漸頭白。望學海則嘆其無邊；營書倉而慮其難就。以故敬業之餘，世事輒廢。若乃茂先充篋，積既如山；子泉疊窗，坐惟容膝。或辱
高軒枉教，每慚詣謝之遲；或承
雅柬相邀，時失酬答之誼。勞問屢闕，訊候有疏。江湖綿邈，彌深〈蒹葭〉之思；漏刻不遑，終乏瓊瑤之報。人之相知，貴相知心。如駱狂簡，必荷
海涵。然積款款而未輸；亦常耿耿以自疚也。今者年隨夜終，徒祭詩以自勞；春逐曉動，謹獻頌而補誠。敢藉寸榆，聊代趨賀，伏維朗照，不盡所懷。

楊家駱　敬啟　丁酉除夕

這是一篇以抒情主的駢體文。

人事和物情，有許多是天然成對的。就人身來說：除了位於正中的鼻、口、心、胃等等是單的之外；其他成雙的器官，如眼、耳、手、腳、肺、腎等等，必定是左右對稱的。推至人事，又有男女、兄弟、姐妹、師生、長幼、貴賤、尊卑等等相對的關係。就空間來說：天上有太陽，又有月亮；地上有高山，又有大川。再看看時間方面的變化：一天有白晝，又有黑

夜；一月有圓，又有缺；一年有寒，又有暑：這種種，都是無獨有偶的。語言文字，其功用本來就是表達人事和物情，於是也不能避免的有駢語的出現。

在甲骨文中，可以看到初民們已有使用駢語的習慣，那就是甲文學家所謂的「對貞」了。例如《殷虛文字》丙編頁一：「癸丑卜爭貞：自今至于丁子，我災宙？癸丑卜爭貞：自今至于丁子，我弗其災宙？」就是一例。至於古書中的儷辭，那就更多了。《詩經．邶風．匏有苦葉》裡的：「就其深矣，方之舟之；就其淺矣、泳之游之。」；《書經．虞書．舜典》：「剛而無虐，簡而無傲。」；《禮記．禮運．大同》：「選賢與能，講信修睦。」；《易經．屯卦．上六爻辭》：「乘馬班如，泣血漣如。」；《左傳．隱公十一年》：「天而既厭周德矣，吾其能與許爭乎？」都是例子。不過甲文和古籍上的駢語，都出於自然，不勞經營。戰國時代，駢語開始有意迴避同字，《孟子．滕文公上》：「草木暢茂，禽獸繁殖。」可算好例。這種傾向，到了漢、魏，就更爲明顯。陸機〈文賦〉：「佇中區以玄覽；頤情志於典墳。遵四時以歎逝；瞻萬物而思紛。悲落葉於勁秋；喜柔條於芳春。心懍懍以懷霜；志眇眇而臨雲。詠世德之駿烈；誦先人之清芬。遊文章之林府；喜麗藻之彬彬。」其中除「之」「而」「以」「於」等虛字外，兩句之中，再也不用同字了。由自然成對到有意經營；由不避同字到避同字，中國文學上終於有一種刻意要求句句對偶的文體出現——這就是「駢文」了。

現在試以楊家駱先生所撰〈除夕辭歲啓〉爲例，說明駢文的特質。

駢文的第一個特質是講求對仗。

對仗的名目很多，劉勰在《文心雕龍．麗辭》，有「言對爲易，事對爲難；反對爲優，正對爲劣。」的說法。上官儀又有六對，八對之說；《文鏡秘府論》，集唐人對仗名稱，更有二十九種之多。對仗的名目雖多，但從句型上分類，不外乎「句中對」「單句對」「複句對」三種；從句意上分類，不外乎「意同對」「意承對」「意反對」三種。例如「疏異參同」「傳信傳疑」「條分縷析」「識大識小」，一句之中，自成對偶，叫做「句中對」；「積稿既已盈室；載之奚止五車。」「其艱如事九仞之築；其瑣如膠百衲之琴。」單句相對的，叫做「單句對」；「日月不居，忽歷卅載；晨昏勤寫，未間一朝。」「年隨夜終，徒祭詩以自勞；春逐曉動，謹獻頌而襮誠。」兩句或兩句以上相對的，叫做「複句對」。又如「夙嬰板蕩，負墨本以身隨；屢值播遷，盛縹囊而俱往。」「勞問屢闕，訊候有疏。」，句意相同，叫做「意同對」；「萬象絡繹於筆端；八紘馳騁於思緒。」「駒光易逝，短綆難繫乎寸陰；蚖脂煎明，一燈每耿乎中夜。」句意相承，叫做「意承對」；「徵採務勤，削誣說以存定讞；訓詁忌鑿，貴徵實而賤虛談。」「江湖綿邈，彌深〈蒹葭〉之思；漏刻不遑，終乏瓊瑤之報。」句意一正一反，叫做「意反對」。

講求對仗，造成駢文在「視覺」方面的特殊美感。

駢文的第二個特質是崇尚聲律。

所謂聲律，包括兩種情形：一是押韻；二是平仄。在六朝駢文之中，有全篇用韻的，有部分用韻的，也有全篇不用韻的。用韻的駢文，又有隔句押韻，首句用韻隔句押韻，每句押韻的不同。大概哀銘碑誄等多用韻，其他多不用韻，〈除夕辭歲啓〉屬於不用韻的駢文。駢文雖不一定用韻，但是必定注重句腳平仄的相間，試看此文句腳：

年（平），業（仄）。居（平），載（仄）；寫（仄），朝（平）。室（仄）；車（平）。蕩（仄），隨（平）；遷（平），往（仄）。高（平），覆（仄）；惡（仄），存（平）。劫（仄）；餘（平）。補（仄）；尋（平）！籍（仄），編（平）。聲（平），部（仄）；假（仄），班（平）。勤（平），讞（仄）；鑿（仄），談（平）。同（平），準（仄）；析（仄），遺（平）。端（平）；緒（仄）。札（仄），言（平）；函（平），百（仄）。亥（仄），成（平）；輕（平），布（仄）。逝（仄），陰（平）；明（平），夜（仄）。義（仄），間（平）；蒲（平），後（仄）。築（仄）；琴（平）。青（平）；白（仄）。邊（平）；就（仄）。餘（平），廢（仄）。篋（仄），山（平）；窗（平），膝（仄）。教（仄），遲（平）；邀（平），誼（仄）。闕（仄）；疏（平）。邈（仄），思（平）；違（平），報（仄）。知（平），心（平）。簡（仄），涵（平）。輸（平）；疚（仄）。終（平），勞（仄）；動（仄），誠（平）。椾（平），賀（仄）。照（仄），懷（平）。

其中除了。「人之相知，貴相知心。」中的「知」「心」

都是平聲之外，其他各對，全部「平仄」或「仄平」相間。

崇尚聲律，造成駢文在「聽覺」方面的特殊美感。

駢文的第三個特質是運用典故。

天地間的人事物情，既是無獨有偶，而英雄所見，每又略同。因此，對於不斷循環重現的人事物情，常可以引用前人的事或前人的話來表達，這就是「典故」了。引用大家熟悉的故事，在心理學上，很合乎根據舊聞領悟新知的類化作用；引用大家熟悉的哲言，在心理學上，是利用人類崇拜往聖先賢的尚古心理。兩者同樣的都能使文章收到言約意贍的效果。典故的種類，可分事典和言典。例如：「積稿既已盈室，載之奚止五車。」「五車」是惠施的故事，見《莊子》；「年隨夜終，徒祭詩以自勞。」「祭詩」是賈島的故事，見《唐書》。這些都是「事典」。又如：「家駱方逾志學之年。」「志學」是孔子自述「吾十有五而志於學」，見《論語》；「人之相知，貴相知心」是李陵答蘇武的話，見《昭明文選》。這些都是「言典」。至於用典的方法，大致有明用、暗用、直用、反用等種。例如：「幸免秦坑之劫；宛如魯壁之餘。」明用秦皇坑儒、魯壁藏書的典故。「其艱如事九仞之築；其瑣如膠百衲之琴。」前者暗用《尚書》「爲山九仞」的典故而變化了原來的意思；後者暗用《尚書故實》李汧綴琴的典故而强調了「瑣」的具體程度。又如：「茂先充篋，積既如山；子泉疊窗，坐惟容膝。」前者用張華故事而不改書多的意思，是直用；後者用倪若水故事而反襯室小的意思，是反用。

運用典故，造成駢文在「意境」方面的典雅高潔。

駢文源於騷賦，全盛於六朝，復興於有清。韓愈的古文運動，和民國的五四運動，雖對駢語和用典有許多攻擊，但是由於駢文在視聽雙方面的特殊美感，以及在意境方面的雅潔氣質，所以上至國家大典祝告鴻文，下至個人慶弔應酬文字，仍有使用駢文的。

〈生命的尺度〉是以白話寫作的，仍先錄其全文。

輯錄中國五千年來所累積的知識，經由集納衡證的過程，而以足以涵括各知識之文字與辭語為命題，編著《中華大辭典》，使之成為中國知識的百科全書，而在世界文化中佔有其應佔的地位，此為我生命存在的意義。所以第一、我應知我實為與同道共肩此使命而存在，否則我無存在的價值。

此使命在我的意念中，是一項最神聖崇偉的事業；從博學、審問、慎思、明辨到篤行，完全為一備具真、善、美的覺性活動。所以第二、我無論在治學、治事、對己、對人上，應有一完整的人格，方可不沾污那神聖崇偉的事業。

從我三十七年來為此所已累積而尚未完成的工作而言，自信已足證明，對此使命我有與同道共同肩負的能力。但生命為時間所累積，而年華卻永在無情的消逝中！所以第三、我應珍惜我的時間，且以最有效的方法去應用他。

潛存於心底的是想與同道們共以萬斛心血，凝構那《中華大辭典》，且使之永遠繼續，而對世界放射出文化的光芒。多年來一切由人事的、物質的環境交織而成的困難，正是一神聖崇偉的事業中不可少的點綴。所以第四、我應以類於宗教的信仰與殉道的精神去戰勝他，助力的有無，環境的逆順，不足影響其全盤的進行。

但從律動論的觀點上，我仍為生物現象與社會現象中的一有機體，這就是說：我無論有怎樣堅強的意向，終不能超越生物性的和社會性的限制；況我將以此形骸為展開生命意向的寄體，將以此社會為我投射光、熱、力的感受者，所以第五、我仍當在理性支配下去適應那必不可免或絕對需要的生物性生活和社會性生活。

於宇宙，於人生，於社會，自信已樹立了一極正確的觀念，所剩餘的只是如何篤實去踐履，以成覺性行為，而將其光、其熱、其力、投射於社會，冀其感受，以獲理想的果實。那末，第六、我應時時將此〈生命的尺度〉默讀自省。

〈生命的尺度〉一文，刊於 1963 年 3 月 30 日台北《中央日報・副刊》。全文共分六段：第一段是「起」，指出編著〈中華大辭典〉是作者生命存在的意義所在。第二段是「承」，接著說明此使命是一種覺性活動，需要完整的人格去推動。三、四兩段是「開」，第三段從正面立論，言應珍惜時間去從事此未完成的使命；第四段由反面立論，說明了助力之有無，環境之逆順，不足影響其全盤的進行。第五段是「轉」，指出由律動論的觀點，必須適應決不可免的生物性和社會性的生活。第六段是「合」，用篤行，自省爲全文的結語。

在這「起、承、開、轉、合」的過程中，第一段和第六段是一比：第一段括出了作者生命的意義，屬「知」；第六段著重此意義的實現，屬「行」。第二段和第五段也是一比：第二段的「覺性活動」强調「理想」，是形而上的；第五段的「生物性生活和社會性生活」顧到了「事實」，是形而下的。第三段和第四段又是一比：第三段由正面立論，古人或謂之「實寫」；第四段由反面立論，古人或謂之「虛寫」。知行合一，理事兼顧，實虛並進，這是本文立論的特色。

而且六段，分別用「第一」、「第二」、「第三」、「第四」、「第五」、「第六」標明，非常統一整齊；每段又各爲一因果，段段銖兩適稱，顯出對稱之美；而前五段分別用了五個「所以」之後，在最後一段改用「那末」，又生出一番變化來。「統一」、「對稱」與「變化」是「美」的三原則，本文在結構上都具備了。而全篇用詞謹嚴，構句精練。字裡行間，更充滿著對生命的誠，對事業的敬，和對成功的信心。

楊師撰寫的文章很多，且每以覃思奧義勝。此處僅摘錄二篇，以修辭析論，殆略窺膚廓，而遺其精髓。惟嘗此二臠，已可知天廚之美；觸長引申，探幽闡微，就在好學深思者之善自體會了。

楊家駱教授對老子學的貢獻

傅武光

楊師家駱於四部之學，無所不窺。如果要稱他爲什麼家，如經學家、史學家、目錄學家、版本學家，乃至哲學家、文學家、教育家、出版家之類，可以說他什麼家都是，也可以說什麼家都不是。他是個通人，或叫做通儒。一般人多只稱他爲史學家，那是對楊師不了解所致。

此文旨在陳述楊師在老子學方面的成就，其他的便一概不談。

一、楊師在老子學方面的著作

楊師的老子學著作，現存可見的只有《老子新考述略》二卷，收在世界書局所出版的《新編諸子集成》第三册。內容包括兩部分，即：〈老子新傳〉及〈先秦老學文獻及老子書傳本源流新說〉，完稿於民國三十八年十月十日。卷端有序，細讀此序，乃知此二卷是他研究老子學的諸多著作稿的結論。而他諸多研治老子學的稿子因爲「出版之艱，不能即付剞劂」（《老子新考述略》序文），至今無從索讀，幸好楊師「爲初讀老子書者計」（同上），別撰此二篇，今天纔能略窺楊師在老子學方面的研究成果。

根據序文所述，楊師治老之稿共有四種：

㈠《老子書目》一卷，著錄老子注存佚的五百家。

㈡《疑老文獻辨正》二卷：上卷輯北魏以迄清代諸說十九篇；下卷爲今人論文五十三篇之提要。凡所舉七十二篇，每篇都加以辨正，以明其得失之所在。

㈢《先秦老學文獻考》六卷，六十一篇，十二萬餘字。

㈣《老子年譜》二卷：根據《先秦老學文獻考》的結論而寫成，上卷是老聃在世時的年譜；下卷自老聃死的次年起，到戰國末年，凡與老學有關的人和事，都用繫年的方式記錄下來。

這四種文稿，《先秦老學文獻考》是母體，有了此稿，纔有《老子年譜》。但是最先寫出的卻是《老子書目》和《疑老文獻辨正》，因爲在撰寫《先秦老學文獻考》之前，楊師讀了歷代諸家的論著，便根據那些論著，編成書目。至於楊師之所以撰寫《先秦老學文獻考》，是因爲撰寫《先秦學術編年史考辨》而及之，而《先秦學術編年史考辨》之作，又是爲了彌補他另一鉅著《中國學術編年史》之不完整之故，因爲該書編年從西漢開始，直到清朝，卻獨缺先秦部分。

可惜的是上述諸稿，今天一概看不到了。現在要了解楊師治老的貢獻，只有靠《老子新考述略》了。

二、楊師對老子學諸多問題的主張

雖然楊師上述治老諸稿已不得見，但透過《老子新考述略》

仍可一窺楊師對老學各種疑難問題的解答和主張。分別敘述如下：

㈠有關老子書的作者及老子的姓名問題

老子因爲「以自隱無名爲務」（司馬談〈論六家要旨〉），所以《史記》本傳寫老子生平寫得撲朔迷離，連姓名都產生爭議。有人認爲作老子畫的老子是老萊子，有人主張是太史儋，有人認爲是環淵，有人說是詹何，更有人以爲老子書根本就是成語的彙集，不是一人所作。還有人主張其成書年代，晚至〈淮南子〉以後。

經過考證，楊師認爲：老子書的作者就是與孔子同時，且孔子曾經向他問禮的「老聃」。楊師說：

> 老子，姓老，名聃，字陽子。西漢（前二〇六以後）之初，老轉為李，其家譜追名為耳，以聃為字。後神仙家又妄改字陽子為伯陽，而以聃為謚。（〈老子新傳〉）

楊師此一結論，清清楚楚，絕不模稜兩可。同時也說明了《史記》本傳說他「姓李名耳」的原因。我認爲楊師的說法確當不移。有幾點理由可以爲證：

第一，春秋時期，有老姓，無李姓。李姓首見爲李克，已是戰國初魏文侯時，且李克亦作里克。

第二，老聃之名，先秦典籍常見。《莊子》內七篇即兩度提到「老聃」①。

第三，古籍於先秦諸子都在姓下加子字，如莊子（名周）、惠子（名施）、列子（名禦寇）、楊子（名朱）、管子（名仲）、荀子（名況）等都是，以此爲例，則「老子」當然姓老。

老子書既是與孔子並時的老聃所作，具其他以老聃爲戰國時人，老子書爲戰國時作，及「莊前老後」（錢穆主張甚力②）諸說都站不住腳；那以爲老子並無其人、老子書爲成語的彙集、成書晚至《淮南子》之後的幾種意見，更是不攻自破了。根據 1993 年出土的「郭店楚墓竹簡」的《老子》，已可證明，老子書在戰國初即已有寫本，且明確定爲《老子》，可見它的資料「應當接受漢人的說法，產生於春秋末葉」③。然則楊師的說法，即衡以最新的出土資料，也還不能推翻它。

㈡有關老子的年壽問題

《史記》本傳記老子的年壽最啓人疑竇，所謂「蓋老子一百六十餘歲，或言二百餘歲」，遠遠超出一般人的認知，特別是在那平均年齡不會太高的年代。楊師根據當時相關人物、相關事件的推證，定老聃之年壽爲九十五歲（前 651～467 年），即約早於孔子十年出生，又晚於孔子十二年去世。

楊師之推證，持之有故，言之成理，以老聃之修道有成，比常人多活二三十年，達九十餘歲，實乃情理之常，毫無誇大之處。

㈢有關老子的籍貫問題

《史記》本傳説，老子是楚國苦縣人。楊師根據春秋史實，加以更明確的説明。楊師認爲老子生於相（故地在今河南省鹿邑縣東十五里），當老聃二十八歲（前 534 年）時，楚滅陳，相入於楚。三十三歲（前 529 年），陳復國，八十四歲（前 478 年），楚再滅陳，改相爲苦。結論是：

> 聃之籍貫，從其生時言，為陳之相人；從其出遊時言，為楚之相人；從其卒時言，為楚之苦人。（〈老子新傳〉）

楊師爲《史記》本傳作了最佳的注腳。

㈣有關老子西入關然後不知所終的問題

《史記》本傳敍老子晚年行蹤云：

> 居周久之，見周之衰，乃遂去。至關，關令尹喜曰：「子將隱矣！彊強我著書。」於是老子乃著書上下篇，言道德之意，五千餘言而去，莫知其所終。

這是説老聃雖「莫知其所終」，但最後死於關中，是無可疑的。但《史記》整篇本傳多「疑、蓋」之詞，使人難以據信。楊師於此則考證甚詳，最後證明老聃果真死於關中，他説：

> 聃（七十歲）覺秦可久隱，由沛經鄭，經周，西渡黃河，過召（故地在今河南垣曲縣附近）出周境，遵陸路而西，復渡黃河至西岸抵梁（今山西④、陝西交界之韓城附近）。再順黃河南下至桃林塞（今河南、陝西交界處之潼關），守塞令關尹學與聃近，強其著書。聃因雜錄平日思想之結論為上下篇，言道德之意，凡五千餘言。……居秦二十六年卒。（〈老子新傳〉）

這段敍述，對於老聃晚年行蹤交代得非常清楚，使《史記》太史公之言，益發可信。本傳所謂「至關」的「關」，或以爲函谷關，或以爲散關。要以楊師所認爲的潼關（即古桃林塞）爲最正確。可見老子「見周之衰，乃遂去」的方向，是自東向西走，也就是離開成周而進入關中。所以所謂「莫知其所終」，應是指入關以後纔「莫知其所終」的。換言之，老子最後死於關中。

這一點，有《道德經》的經文可以爲證。《道德經・第十一章》說：

> 鑿戶牖以為室，當其無，有室之用。

戶牖由「鑿」而成，顯然這不是指木造或磚造的房屋，也不是夯土而成的房屋，而是指黃土高原上的窯洞民居。說到窯洞，很容易令人想到陝北那一帶，特別是毛共的延安老巢。那麼，老子「至關」爲關尹著書時，似乎未見過窯洞纔是啊！但根據楊師所考的老子經行路線，這個疑問，便迎刃而解。我曾到過洛陽以西的山區，親眼看過當地的窯洞民居。所以不待進入關中，老子一路上就已見過無數的窯洞了。因此，當他爲關尹著書時，便「能近取譬」，信手以眼前的民居爲事例，這是很自然的事。總之，《史記》本傳記載老子的行蹤，雖語焉不詳；但至少記晚年入關一事，可由經文和實物而獲得證實。楊師的考證，使太史公的說法更信而有徵。

由以上所述，大抵可以看出，楊師對於老子學的討論，主要側重在老子的姓名、籍貫、生卒年代、事蹟等方面。至於思想的研究，則未見遺稿。值得一提的是，楊師特別看重魏源的《老子本義》，這可從世界書局印行的《新編諸子集成》看出來。這部叢書所入選的注解本都非常具有代表性，如《論語》選錄劉寶楠的《論語正義》，《孟子》選錄焦循的《孟子正義》，《荀子》選錄王先謙的《荀子集解》，《莊子》選錄含有郭象注、陸德明釋文及成玄英疏的《莊子集釋》（郭慶藩集釋）；而《老子》則除選錄王弼注附陸德明釋文外，獨獨選錄魏源的《老子本義》。可見楊師對這本注解是與王弼注等量齊觀的。我曾細讀此書，也認爲它是近代諸多疏釋老子著作中的佼佼者。楊師的眼光，確有獨到之處。

註　　釋

①一見於〈養生主〉：「老聃死，秦失弔之。」一見於〈德充符〉：「無趾語老聃曰：『孔丘之於至人，其未邪？』」

②見錢穆著《莊老通辨》　台北　三民書局 1973 年 8 月再版

③見丁原植著《郭店竹簡老子釋析與研究》台北　萬卷樓 1999 年 4 月增修版序言。

④山西原作河南，應是楊師一時疏誤，按之實地，韓城在山西與陝西交界處才對。因改。

文淵閣四庫全書

菁（精）華書目初篇

莊嘉廷

《四庫全書》是一部世界上最大的叢書，編纂的原因很多，從乾隆三十八年（1773 年）開四庫全書館，開始纂修。編修人員多達三百六十人，並命紀昀、陸錫熊、孫士毅任編纂官。參加編修、抄寫、裝訂等工作者接近四千人。於乾隆四十七年（1782 年）完成第一部，藏在北京故宮文淵閣；其後又陸續抄錄六部，整個工作於乾隆五十二年（1787 年）。分別收藏在圓明園文源閣、熱河文津閣、奉天文溯閣，以上四部合稱内廷四閣，僅供皇家使用。另有三部，分別收藏在鎮江文宗閣、揚州文匯閣、杭州文瀾閣三地，合稱江浙三閣，允許讀書人閱讀。

文匯閣、文宗閣毀於咸豐三年，文瀾閣於咸豐十年，皆毀於戰爭的動亂。内廷四閣中，文源閣燬於咸豐十年英法聯軍逼近北京，民國初年，文津閣由熱河運歸北京，歸北京圖書館保管，以後文淵閣亦運回北京，歸内務部保管，合清室的文淵閣，内廷四閣只剩三。

「九一八」事變發生後，華北動盪，政府爲策安全，下令故宮博物院選擇精品南遷。文淵閣《四庫全書》、《四庫薈要》於民國二十二年與古物，分批南運，初貯上海，後移至南京，在朝天宮建庫藏置。抗戰爆發，播遷四川，勝利還國都南京，幸好安然無恙。國共戰爭發生，中共南侵，桴海東渡台灣。如今文淵閣四庫全書、四庫薈要於民國二十二年與古物，分批南運，初貯上海，後移至南京，在朝天宮建庫藏置。抗戰爆發，播遷四川，勝利還國都南京，幸好安然無恙。國共戰爭發生，中共南侵，桴海東渡台灣。如今文淵閣四庫全書、四庫薈要庋藏於台北市外雙溪故宮博物院。其餘三部四庫全書已遭燬損，殘缺不全。

本人曾於三十年前，前往外雙溪故宮博物院圖書館內，翻閱文淵閣四庫全書木匣裝原書，凡五年，得睹四庫全書精華典籍，並作筆記。本篇寫作係以文淵閣四庫全書爲主要內容，並參考其他書本及資料。茲分「四庫全書薈要」、「永樂大典」、「孤本」、「武英殿聚珍版本」四部分，全敍於後。

一、四庫全書薈要

在左傳裡有「序昭穆」的記載，以今日口語解釋，就是「隔代遺傳」。清康熙皇帝喜歡讀書，十八歲那年讀書讀到吐血；乾隆皇帝承其遺傳，也喜歡讀書，並且讀了不少書。在他籌備開館編鈔「四庫全書」前四年，乾隆三十四年（769年），六十三歲，深恐四庫全書浩大，來不及看到這部書的完成，於是命令編寫「四庫全書薈要」，以于敏中、王際華兩人主持這件事。四十四年（1779 年）第一部鈔寫完成，貯存在紫禁城坤甯宮後面，御花園内的摛藻堂。一般稱這部書爲「摛藻堂四庫全書薈要本」。

在楊家駱教授所編著書籍上的記載，四庫全書薈要一共是 464 種，現存故宮博物院圖書館内的摛藻堂四庫全書薈要則是 473 種，相差的數目是 9 種，本篇是根據故宮典藏的四庫全書薈要著錄。

四庫全書薈要今已併入四庫全書典藏，依經、史、子、集四大類區分，每一大類又仔細分類，工程上非常精細。

◇四庫全書薈要書目錄◇

	周易鄭註三卷	宋王應麟輯
	周易註疏十三卷 附略例一卷	魏王弼晉乾康伯註 唐孔穎達疏
	易數鈎隱圖四卷	宋劉牧撰
	周易口義十五卷	宋胡瑗撰
	橫渠易說三卷	宋張載撰
	東坡易傳九卷	宋蘇軾撰
	紫巖易傳十卷	宋張浚撰
	易小傳六卷	宋沈該撰
	漢上易集傳十五卷	宋朱震撰
	易璇璣三卷	宋吳沆撰
	周易本義四卷	宋朱熹撰

	郭氏傳家易說十一卷	宋郭雍撰
	周易義海撮要十二卷	宋李衡撰
	復齋易說六卷	宋趙彥肅撰
	周易玩詞十六卷	宋項安世撰
	大易粹言七十三卷卷首一卷	宋方聞一撰
	周易稗傳二卷	宋林至撰
	童溪易傳三十卷	宋王宗傳撰
	丙子學易編一卷	宋李心傳撰
	易象意言一卷	宋蔡淵撰
	東谷易翼二卷	宋鄭汝諧撰
	朱公易說二十三卷	宋朱鑑編
	周易緝聞六卷	宋趙汝楳撰
	周易傳義附錄十四卷	宋董楷撰
	易學啓蒙通釋二卷	宋胡方平撰
	三易備遺十卷	宋朱元昇撰
	俞氏易集說十三卷	宋俞琰撰
	易圖通變五卷	宋雷思齊撰
	周易本義附錄纂註十五卷	元胡一桂撰
	周易啓蒙翼傳四卷	元胡一桂
	易纂言十卷	元吳澄撰
	大易緝說十卷	元王申子撰
	周易本義通釋十二卷	元胡炳文撰
	周易本義集成十二卷	元熊良輔撰

	大易象數鈎深圖三卷	元張理撰
	學易記九卷	元李簡撰
	周易會通十四卷	元董真卿撰
	日講易經解義十八卷	清康熙二十二年 聖祖仁皇帝御定
	御纂周易折中二十二卷	清康熙五十四年纂
	御纂周易述義十卷	清乾隆二十年敕纂
	易緯十二卷	漢鄭康成註
	尚書註疏十九卷	漢孔安國傳唐孔穎傳疏
	東坡書傳二十卷	宋蘇軾撰
	尚書全解四十卷	宋林之奇撰
	禹貢指南四卷	宋毛晃撰
	禹貢山川地理圖二卷	宋程大昌撰
	禹貢説斷四卷	宋傅寅撰
	增修東萊書説三十五卷	宋呂祖謙撰
	尚書説七卷	宋黃度撰
	書集傳六卷	宋蔡沈撰
	胡氏尚書詳解十三卷	宋胡士行撰
	書纂言四卷	元吳澄撰
	尚書傳撰纂疏二卷	元陳櫟撰
	書傳輯錄纂註六卷	元董鼎撰
	尚書纂傳解義四十六卷	元王天與撰
	尚書句解十三卷	元朱祖義撰

	日講書經解義十三卷	清康熙十九年 聖祖仁皇帝御定
	欽定書經傳說彙纂 二十一卷卷首二卷	清康熙六十年敕纂
	毛詩註疏三十卷	漢毛亨傳鄭玄箋 唐孔穎達疏
	詩疏廣要四卷	明毛晉撰
	毛詩指說一卷	唐成伯璵撰
	毛詩本義十六卷	宋歐陽修撰
	毛詩李黃集解四十二卷	宋李樗黃櫄撰
	詩補傳三十卷	宋范處義撰
	詩總聞二十卷	宋王質撰
	詩經集傳八卷	宋朱熹撰
	呂氏家塾讀詩記三十二卷	宋呂祖謙撰
	詩緝三十六卷	宋嚴粲撰
	詩傳遺說六卷	宋朱鑑編
	詩地理考六卷	宋王應麟撰
	詩集傳名物鈔八卷	元許謙撰
	詩經疑問七卷	元朱倬撰
	毛議解頤四卷	明朱善撰
	欽定詩經傳說彙纂 二十一卷卷首二卷	清康熙六十年敕撰
	御纂詩義折中二十卷	清乾隆二十年敕纂

	周禮註疏四十二卷	漢鄭玄註唐賈公彥疏
	禮經會元四卷	宋葉時撰
	太平經國之書十一卷	宋鄭伯謙撰
	周禮訂義八十義	宋王與之撰
	考工記解二卷	宋林希逸撰
	欽定周官義疏 四十八卷卷首一卷	清乾隆十三年敕撰
	儀禮註疏十七卷	漢鄭玄註唐賈公彥疏
	儀禮集說十七卷	元敖繼公撰
	經禮補逸九卷	元汪克寬撰
	欽定儀禮義疏 四十八卷卷首二卷	清乾隆十三年敕撰
	儀禮鄭註句讀十七卷	清張爾岐撰
	禮記註疏六十三卷	漢鄭玄註唐孔穎達疏
	禮記集說一百六十卷	宋衞湜撰
	陳氏禮記集說十卷	元陳澔撰
	日講禮記解義六十四卷	清康熙年間敕編 乾隆元年敕校
	欽定禮記義疏 八十二卷卷首一卷	清乾隆十三年敕撰
	三禮圖集註二十卷	宋聶宗義撰
	左傳註疏六十卷	周左丘明傳晉杜預註 唐孔穎達疏

	公羊傳註疏二十八卷	周公羊高撰漢何休註 唐休彥疏
	穀梁傳註二十卷	周穀梁赤撰晉范甯集解 唐楊士勛疏
	春秋尊王發微十二卷	宋孫復撰
	春秋權衡十七卷	宋劉敞撰
	劉氏春秋傳十五卷	宋劉敞撰
	蘇氏春秋集解十二卷	宋蘇軾撰
	春秋辨疑四卷	宋蕭楚撰
	春秋本例二十卷	宋崔子方撰
	葉氏春秋傳二十卷	宋葉夢得撰
	呂氏春秋集解三十卷	宋呂本中撰
	胡氏春秋傳三十卷	宋胡安國撰
	陳氏春秋後傳十二卷	宋陳傅良撰
	春秋左氏傳說二十卷	宋呂祖謙撰
	張氏春秋集註十一卷	宋張洽撰
	春秋王霸列國世紀編三卷	宋李琪撰
	春秋通說十三卷	宋黃仲炎撰
	春秋經筌十六卷	宋趙鵬飛撰
	呂氏春秋或問二十卷 附春秋五論一卷	宋呂大圭撰
	春秋集傳詳說三十卷	宋家鉉翁撰
	讀春秋編十二卷	宋陳深撰

	春秋提綱十卷	元陳則通撰
	春秋集傳釋義大全十二卷	元俞皋撰
	春秋本義三十卷	元程端學撰
	春秋諸傳會通二十四卷	元李廉撰
	春秋闕疑四十五卷	元鄭玉撰
	春秋集傳十五卷	元趙汸撰
	春秋屬辭十五卷	元趙汸撰
	春秋春王正月考二卷	明張以寧撰
	日講春秋解義六十四卷	清聖祖舊稿雍正年間校定
	欽定春秋傳説彙纂 三十八卷卷首二卷	清康熙三十八年敕纂
	御定春秋直解十二卷	清乾隆二十三年敕撰
	春秋繁露十七卷	漢董仲舒撰
	孝經註疏九卷	唐玄宗御註宋邢昺疏
	御註孝經一卷	清順治十三年御註
	御纂孝經集註一卷	清雍正五年世宗御定
	經典釋文三十卷	唐陸德明撰
	六經正誤六卷	宋毛居正撰
	六經奧論六卷	宋鄭樵撰
	五經説七卷	元熊朋來撰
	十一經問對五卷	元何異孫撰
	五經蠡測六卷	明蔣悌生撰
	孟子註疏十四卷	漢趙岐註宋孫奭疏

	論語註疏二十卷	魏何晏註宋邢昺疏
	孟子傳二十九卷	宋張九成撰
	四書章句集註十九卷	宋朱熹撰
	論語解十六卷	宋張栻撰
	孟子說七卷	宋張栻撰
	四書集編二十六卷	宋真德秀撰
	孟子集疏十四卷	宋蔡模撰
	論語集說十卷	宋蔡節撰
	四書纂疏二十六卷	宋責順孫撰
	四書辨疑十五卷	元陳天祥撰
	四書通二十六卷	元胡炳文撰
	四書通證六卷	元張存中撰
	四書纂箋二十八卷	元詹道傳撰
	四書通旨六卷	元朱公遷撰
	日講四書解義二十六卷	清康熙十六年敕編
	御纂律呂正義五卷	清康熙五十二年御定
	御製律呂正義後編一百二十八卷	清乾隆十一年敕撰
	爾雅註疏十一卷	晉郭璞註宋邢昺疏
	釋名八卷	漢劉熙撰
	廣雅十卷	魏張揖撰
	羣經音辨七卷	宋賈昌朝撰
	埤雅二十卷	宋陸佃撰

	爾雅翼三十二卷	宋羅願撰
	說文解字三十卷	漢許慎撰
	玉篇三十卷	梁顧野王撰
	五經文字三卷	唐張參撰
	九經字樣一卷	唐玄度撰
	漢隸字源六卷	宋婁機撰
	御定康熙字典三十六卷	清康熙五十五年 張玉書等奉敕撰
	清文鑑三十二卷 補編四卷總綱八卷	清傅恆等奉敕撰
	欽定西域同文志二十四卷	清傅恆等奉敕撰
	重修廣韻五卷	宋陳彭年等奉敕撰
	集韻十卷	宋丁度等撰
	古今韻會舉要三十卷	元熊忠撰
	御定音韻闡微十八卷	清李光地等奉敕撰
	欽定同文韻統六卷	清乾隆十五年敕纂
	欽定叶韻彙輯五十卷	清乾隆十五年敕纂
	史記一百三十卷	漢司馬遷撰宋裴駰集解 唐司馬貞索隱張守節正義
	漢書一百二十卷	漢班固撰唐顏師古註
	後漢書一百二十卷	宋范曄撰晉司馬彪撰志 唐李賢註梁劉昭註志
	三國志六十五卷	晉陳壽撰宋裴松之註

	晉書一百三十卷	唐房喬等奉敕撰
	宋書一百卷	梁沈約撰
	南齊書五十九卷	梁蕭子顯撰
	梁書五十六卷	唐姚思廉奉敕撰
	陳書三十六卷	唐姚思廉奉敕撰
	魏書一百三十卷	北齊魏收奉敕撰
	北齊書五十卷	唐李百藥奉敕撰
	周書五十卷	唐令孤德棻奉敕撰
	隋書八十五卷	唐魏徵等奉敕撰
	南史八十卷	唐李延壽撰
	北史一百卷	唐李延壽撰
	舊唐書二百卷	後晉劉昫等奉敕撰
	新唐書二百二十五卷 釋音二十五卷	宋歐陽修宋祁等奉敕撰
	新唐書糾謬二十卷	宋吳縝撰
	舊五代史一百五十卷	宋薛居正等奉敕撰
	新五代史七十四卷	宋歐陽修撰徐無黨註
	宋史四百九十六卷	元托克托等撰
	遼史一百十六卷	元托克托等撰
	金史一百三十五卷	元托克托等撰
	元史二百十一卷	明宋濂等撰
	明史三百三十六卷	清張廷玉奉敕撰
	前漢紀三十卷	漢荀悅撰

	後漢紀三十卷	晉袁宏撰
	資治通鑑二百九十四卷	宋司馬光撰
	通鑑綱目前編二十一卷	宋金履祥撰
	御批通鑑輯覽一百二十卷	清乾隆三十二年敕撰
	御定通鑑綱目三編四十卷	清張廷玉奉敕撰
	通鑑紀事本末四十二卷	宋袁樞撰
	春秋左氏傳事類始末五卷	宋章沖撰
	宋史紀事本末二十八卷	明陳邦瞻撰
	元史紀事本末四卷	明陳邦瞻撰
	明史紀事本末八十卷	清谷應泰撰
	通志二百卷	宋鄭樵撰
	國語二十一卷	吳韋昭註
	戰國策十卷	宋鮑彪註
	貞觀政要十卷	唐吳兢撰
	太祖高皇帝聖訓四卷	清康熙二十五年敕編
	太宗文皇帝聖訓六卷	清順治年間敕編
	世祖章皇帝聖訓六卷	清康熙二十六年敕編
	聖祖仁皇帝聖訓六十卷	清雍正九年敕編
	世宗憲皇帝聖訓三十六卷	清乾隆五年敕撰
	硃批諭旨三百六十卷	清雍正十年敕編 乾隆三年告成
	晏子春秋八卷	周晏嬰撰
	春秋列國諸臣傳三十卷	宋王當撰

	名臣言行錄前集十卷 後集十四卷	宋朱熹撰
	吳越春秋六卷	漢趙煜撰
	十六國春秋一百卷	魏崔鴻撰
	十國春秋一百十四卷	清吳任臣撰
	御定月令輯要二十四卷 圖説一卷	清康熙五十四年敕撰
	水經註四十卷	漢桑欽撰後魏酈道元註
	皇清職貢圖九卷	清乾隆十六年敕纂
	通典二百卷	唐杜佑撰
	文獻通考三百四十八卷	元馬端臨撰
	欽定大清會典一百卷	清乾隆二十九年敕纂
	欽定大清通禮五十卷	清乾隆元年敕纂
	皇朝禮器圖式十八卷	清乾隆二十四年敕撰
	國朝宮史三十六卷	清乾隆七年敕撰
	欽定鎔英殿聚珍版程式一卷	清金簡撰
	直齋書錄解題二十二卷	宋陳振孫撰
	欽定天祿琳琅書目十卷	清乾隆九年敕編
	經義考三百卷	清朱彝尊撰
	欽定校正淳化閣帖釋文十卷	清乾隆三十四年敕校正
	唐鑑二十四卷	宋范祖禹撰
	通鑑綱目正編五十九卷	宋朱熹撰
	通鑑綱目續編二十七卷	明商輅等撰

	御製評鑑闡要十二卷	清劉統勳等編
	孔子家語十卷	魏王肅註
	荀子二十卷	周荀況撰唐楊倞註
	孔叢子三卷	漢孔鮒撰
	鹽鐵論十二卷	漢桓寬撰明張之象註
	新序十卷	漢劉向撰
	説苑二十卷	漢劉向撰
	楊子法言十卷	漢揚雄撰宋司馬光集註
	潛夫論十卷	漢王符撰
	中論二卷	漢休幹撰
	傅子一卷	晉傅玄撰
	中説十卷	隋王通撰宋阮逸註
	帝範四卷	唐太宗御撰
	帝學八卷	宋范祖禹撰
	小學集註六卷	宋朱熹撰明陳撰註
	大學衍義四十三卷	宋真德秀撰
	大學衍義補一百六十卷	明邱濬撰
	御定資政要覽三卷 附後序一卷	清順治十二年敕撰
	聖諭廣訓一卷	清聖祖撰世宗釋
	聖祖庭訓格言一卷	清世宗編
	御製日知薈説四卷	清高宗御撰

	御定孝經衍義一百卷	清順治十三年敕修 康熙二十一年告成
	御製性理精義十二卷	清康熙五十六年敕撰
	御纂朱子全書六十六卷	清康熙五十二年敕撰
	御定執中成憲八卷	清雍正六年敕撰
	御覽經史講義三十一卷	清乾隆十四年敕編
	虎鈐經二十卷	宋許洞撰
	管子二十四卷	周管仲撰唐房玄齡註
	韓非子二十卷	周韓非撰
	齊民要術十卷	後魏賈思勰撰
	農桑輯要七卷	元不著撰人名氏
	欽定授時通考七十八卷	清乾隆三年敕撰
	黃帝內經素問二十四卷	唐王冰註
	難經本義二卷	周秦越人撰
	扁鵲神應鍼灸玉龍經一卷	元王國瑞撰
	御定醫宗金鑑九十卷	清乾隆十四年敕纂
	周髀算經二卷音義一卷	漢趙嬰註
	新儀象法要三卷	宋蘇頌撰
	御定歷象考成三十二卷	清康熙五十二年御定
	御撰儀象考成四十卷首二卷	清乾隆九年敕撰
	御定歷象考成後編十卷	乾隆二年敕撰
	五經算術二卷	北周甄鸞撰唐李淳風註
	測圓海鏡分類釋術十卷	明顧應祥撰

	御製數理精蘊五十三卷	清康熙敕撰
	太玄經十卷	漢揚雄撰晉范望註
	易象圖說三卷外篇三卷	元張理撰
	京氏易傳三卷	漢京房撰吳陸續註
	御定佩文齋書畫一百卷	清康熙四十七年敕撰
	欽定西清古鑑四十卷	清乾隆十四年敕撰
	墨法集要一卷	明沈繼孫撰
	錢錄十六卷	清乾隆十五年敕撰
	御定廣羣芳譜一百卷	清乾隆四十七年敕撰
	墨子十五卷	周墨翟撰
	鶡冠子三卷	周不著撰人名氏宋陸佃註
	淮南鴻烈解二十一卷	漢劉安撰漢高誘註
	顏氏家訓二卷	北齊顏之推撰
	白虎通義二卷	漢班固撰
	困學紀聞二十卷	宋王應麟撰清閻若璩何焯評註
	論衡三十卷	漢王充撰
	曲消舊聞十卷	宋朱弁撰
	老學菴策記十卷	宋陸游撰
	春明夢餘七十卷	清孫承澤撰
	帝王經世圖譜十六卷	宋唐仲友撰
	御定淵鑑類函四百五十卷	清康熙四十九年敕撰
	御定駢字類編二百四十卷	清康熙五十八年敕撰

	御定分類字錦六十四卷	清康熙六十一年御定
	御定子史精華一百六十卷	清康熙六十年敕纂
	御定佩文韻府四百四十四卷	清康熙五十年敕纂
	御定韻府拾遺一百〇六卷	清康熙五十五年御定
	世說新語三卷	宋劉義慶撰梁劉孝標註
	唐摭言十五卷	五代王定保撰
	北夢瑣言二十卷	宋孫光憲撰
	山海經八卷	晉郭璞註
	拾遺記十卷	秦王嘉撰
	博物志十卷	晉張華撰
	述異記二卷	梁任昉撰
	酉陽雜俎二十卷續集十卷	唐段成式撰
	老子道德經二卷	鞘王弼註
	御註道德經二卷	清世祖御撰
	關尹子一卷	周尹喜撰
	莊子十卷	晉郭象註
	列子八卷	周列禦寇撰晉張湛註 唐段敬順釋文
	文子二卷	周不著撰人名氏
	周易參同契通真義二卷	後蜀彭曉撰
	抱朴子內外篇八卷	晉葛洪撰
	楚辭補註十七卷	宋洪興祖撰
	庾子山集注十六卷首二卷	北周庾信撰清倪璠註

穆	徐孝穆集六卷	陳徐陵撰
	王子安集十六卷	唐王勃撰
	盈川集十卷	唐楊炯撰
	盧昇之集七卷	唐盧照鄰撰
	駱丞集四卷	唐駱賓王撰明顏文選註
	陳拾遺集十卷	唐陳子昂撰
	曲江集二十卷	唐張九齡撰
	李太白集分類補注三十卷	宋楊齊賢注元蕭士贇刪補註
	集千家注杜工部詩集二十二卷	元高楚芳編
	王右丞集十四卷外編附錄三卷	唐王維撰明顧起經註
	次山集十二卷	唐元結撰
	毗陵集二十卷	唐獨孤及撰
	翰苑集二十二卷	唐陸贄撰
	權文公維十卷	唐權德輿撰
	五百家註音辦昌黎文集四十卷	宋韓仲舉編
	柳河東集四十五卷外集二卷補遺一卷	唐柳宗元撰宋韓醇音釋
	劉賓客文集三十卷外集十卷	唐劉禹錫撰

	會昌一品集二十卷別集十卷外集四卷	唐李德裕撰
	元氏長慶集六十卷補遺六卷	唐元稹撰
	白氏長慶集七十一卷	唐白居易撰
	樊川文集二十卷外集一卷別集一卷	唐杜牧撰
	李義山詩註三卷	清朱鶴齡撰
	李義山文集箋註十卷	清徐樹穀箋徐炯註
	甫里集十九卷附錄一卷	唐陸龜蒙撰
	騎自集三十卷	宋徐鉉撰
	小畜集三十撰	宋王禹偁撰
	武夷新集二十卷	宋楊億撰
	武溪集二十卷	宋余靖撰
	安陽集五十卷	宋韓琦撰
	范文正集二十卷別集四卷補編一卷奏議二卷尺牘三卷	宋范仲淹撰
	端明集四卷	宋蔡襄撰
宋	傳家集八十卷	宋司馬光撰
	清獻集十卷	宋趙抃撰
	丹淵集四十卷拾遺二卷	宋文同撰
	元豐類稾五十卷	宋曾鞏撰
	宛陵集六十卷	宋梅堯臣撰
	文忠集一百五十三卷	宋歐陽修撰

祐	嘉祐集十六卷附錄二卷	宋蘇洵撰
	臨川集一百卷	宋王安石撰
	東坡全集一百十五卷	宋蘇軾撰
	施註蘇詩四十二卷 續補遺二卷	宋蘇軾撰施元之註
	欒城集五十卷後集二十四卷 三集十卷應詔集十二卷	宋蘇轍撰
	山谷内集三十卷外集十四卷 別集二十卷詞一卷年譜三卷 外附黄庶	宋黄庭堅撰
	伐檀集二卷	
	後山集二十四卷	宋陳師道撰
	淮海集四十卷後集六卷 長短句三卷	宋秦觀撰
	青山集三十卷	宋郭祥正撰
	景迂生集二十卷	宋晁說之撰
	雞肋集七十卷	宋晁補之撰
	竹友集十卷	宋謝邁撰
	簡齋集十五卷	宋陳與義撰
	于湖集四十卷	宋張孝祥撰
	止齋集五十二卷	宋陳傅良撰
	梅溪集五十一卷	宋王十朋撰
	盤洲集八十卷	宋洪适撰

	石湖集三十四卷	宋范成大撰
	誠齋集一百三十二卷 附錄一卷	宋楊萬里撰
	劍南詩稿八十五卷	宋陸游撰
	渭南文集五十卷	宋陸游撰
	放翁逸稿二卷	宋陸游撰明毛晉輯
	龍川文集三十卷	宋陳亮撰
	四明文獻集五卷	宋王應麟撰
	牟氏陵陽集二十四卷	宋牟巘撰
	滏水集二十卷	金趙秉文撰
	滹南集四十六卷	金王若虛撰
	遺山集四十卷	金元好問撰
	湛照居士集十四卷	元耶律楚材撰
	陵川集三十九卷附錄一卷	元郝經撰
	松雪齋集十卷外集一卷	元趙孟頫撰
	靜修集二十五卷續集三卷	元劉因撰
	秋澗集百卷	元王惲撰
	石田文集十牛卷	元馬祖常撰
	道園學古錄五十卷	元虞集撰
	道園遺稿六卷	元虞集撰
	楊仲弘集八卷	元楊載撰
	文安集十四卷	元楊傒斯撰
	淵穎集十二卷附錄一卷	元吳萊撰

	黃文獻集十卷	元黃溍撰
	圭齋文集十五卷附錄一卷	元歐陽玄撰
	待制集二十卷	元柳貫撰
	圭塘小稿十三卷別集二卷續集一卷附錄一卷	元許有壬撰
	禮部集二十卷	元吳師道撰
	安雅堂集十三卷	元陳旅撰
	雁門集四卷	元薩都拉撰
	金臺集二卷	元納新撰
	玩齋集十卷拾遺一卷	元貢師泰撰
	清閟閣集十二卷	元倪瓚撰
	鐵崖古樂府十卷樂府補六卷	元楊維楨撰
	復古詩集六卷	元楊維楨撰
	麗則遺音四卷	元楊維楨撰
	文憲集三十二卷	明宋濂撰
	誠意伯文集二十卷	明劉基撰
	大全集十八卷	明高啓撰
	石田詩選十卷	明沈周撰
	懷麓堂集一百卷	明李東陽撰
	家藏集七十七卷	明吳寬撰
	震澤集三十六卷	明王鏊撰
	空同集六十六卷	明李夢陽撰
	王文成全書三十八卷	明王守仁撰

	大復集三十八卷	明何景明撰
	迪功集六卷附談藝錄一卷	明徐禎卿撰
	甫田集三十五卷附錄一卷	明文徵明撰
	蘇門集八卷	明高叔嗣撰
	遵巖集二十五卷	明王慎中撰
	荊川集十二卷	明唐順之撰
	滄溟集三十卷	明李攀龍撰
	震川文集三十卷別集十卷	明歸有光撰
	聖祖仁皇帝御製文集四十卷	清康熙二十二年以前爲初集
	聖祖仁皇帝御製文二集五十卷	清康熙二十三年至三十六年爲二集
	聖祖仁皇帝御製文三集五十卷	清康熙三十七年至五十年爲三集
	聖祖仁皇帝御製文四卷三十六卷	清康熙五十一年至六十一年爲四集
	世宗憲皇帝御製文集三十卷	清乾隆三年敕編
	御製樂善堂全集定本三十卷	清乾隆二十三年蔣溥等奉敕重編
	高宗御製詩初集四十四卷	清乾隆十三年敕編
	高宗御製詩二集九十卷	清乾隆二十五年敕編
	高宗御製詩三卷一百卷	清乾隆三十六年敕編
	高宗御製文初集三十卷	清乾隆二十八年敕編

	文選註六十卷	梁蕭統輯唐李善註
	玉臺新詠十卷	陳徐陵編
	唐文粹一百卷	宋姚鉉編
	樂府詩集一百卷	宋郭茂倩編
	宋文鑑一百五十卷	宋呂祖謙奉敕編
	中州集十卷附中州樂府一卷	金元好問編
	元文類七十卷	元蘇天爵編
	明文衡一百卷	明程敏政編
	漢魏六朝一百三家集 一百十八卷	明張溥編
	御選古文淵鑑六十四卷	清徐學乾等奉敕編註
	御定全唐詩九百卷	清康熙四十二年御定
	御選宋詩七十八卷	清康熙四十八年敕編
	御選金詩二十四卷	清康熙四十八年敕編
	御選元詩八十卷	清康熙四十八年敕編
	御選明詩一百二十卷	清康熙四十八年敕編
	御定佩文齋詠物詩選 四百八十二卷	清康熙四十五年敕編
	御定歷代賦彙一百四十卷 外集二十卷逸句二卷 補遺二十二卷	清康熙四十五年敕編
	御選唐詩三十二卷	清聖祖御定陳廷敬等註
	御定唐宋文醇五十八卷	清乾隆三年敕編

	御選唐宋詩醇四十七卷	清康熙十五年敕編
	皇清文穎一百卷 卷首二十四卷	清康熙年間敕編 乾隆十二年告成
	明詩綜一百卷	清朱彝尊編
	宋詩鈔一〇六卷	清吳之振編
	元詩選卷首一卷初集六十八 卷二集二十六卷三集十六卷	清顧嗣立編
	文心雕龍十卷	梁劉勰撰
	御定歷代詩餘一百二十六卷	清康熙四十六年敕編
	詞綜三十卷	清朱彝尊編
	欽定詞譜四十卷	清康熙五十四年敕編

二、永樂大典

據乾隆四十七年七月四庫全書告成時，總裁永瑢等進表內容；先校天祿琳瑯舊藏的書籍，次校永樂大典，三校各省恭進的書籍。

永樂大典於永樂六年十二月重修完成，並同目錄共計22937卷，繕寫成書本10915巨册。清乾隆年間，修四庫全書時，尚存9677册。

康熙時，徐乾學就有採輯永樂大典散見各書的請求；乾隆年間朱筠同樣的建議而被採行。

乾隆三十八年二月初六日聖旨曰：「昨據軍機大臣議覆。

朱筠條奏內將永樂大典擇取繕寫，各自爲書一節。議請分派各館修書翰林等官前往檢查，恐責成不專，徒致歲月久稽，汗清無日。蓋此書移貯多年，既多殘闕，又原編體例係分韻類次，先已割裂全文，首尾難期貫串。特因當時採摭甚博，其中或有古書善本，世不恒見，今就各門彙訂，可以湊合成部者，亦足廣名山石室之藏。著即派軍機大臣爲總裁官，仍於翰林等官內，選定員數責令及時專司查校，將需書詳細檢閱」。說明乾隆下令同意整理的情形。

同年三月初一日，乾隆又諭曰：「前經降旨，令各督撫等訪求遺書登册府。近允廷臣所議，以翰林院舊藏永樂大典詳加別擇校勘，其世不經見之書，多至三四百種，將擇其醇備者付梓流傳。」所以從永樂大典輯出的書籍，有些是經過書商印刷出版流傳於世間。

二十五年前，我前往故宮博物院圖書館，翻閱四庫全書前後經過五年，瞭解該書的內容，比一般人深刻。現在把其中菁華作簡要的介紹，先從永樂大典的書目開始。

海峽對岸的學者，此刻正在開始整理四庫全書內的永樂大典，是千真萬確的事。在春冰室野乘裡說：「乾隆朝修四庫全書，從永樂大典中輯佚書七百餘種。」然而據楊家駱教授的統計是 571 種，乾隆三十八年三月初一日的聖旨內所說「多至三百種」，經我個人初步的整理是 345 種，正確的數目，就等待有心人的整理。

⊠樂大典書目⊠

	周易口訣義六卷	唐史徵撰
	溫公易說六卷	宋司馬光撰
	易學辨惑一卷	宋邵伯溫撰
	讀易詳說十卷	宋李光撰
	周易窺餘十五卷	宋鄭剛中撰
	易變體義十卷	宋都絜撰
	易原八卷	宋程大昌撰
	易說四卷	宋趙善譽撰
	易傳燈四卷	宋徐總幹撰
	原齋易學五十二卷	宋馮總幹撰
	原齋易學五十二卷	宋馮椅撰
	周易詳解十六卷	宋李杞撰
	讀易舉要四卷	元俞琰撰
	周易象義十六卷	宋丁易東撰
	易纂言外翼八卷	元吳證撰
	易學變通六卷	元曾貫撰
	洪範口議二卷	宋胡瑗撰
	尚書全解四十卷	宋林之奇撰
	禹貢指南四卷	宋毛晃撰

	禹貢論五卷後論一卷 山川地理二卷	宋程大昌撰
	尚書講義二十卷	宋史浩撰
	尚書詳解二十六卷	宋夏僎撰
	禹貢說斷四卷	宋傅寅撰
	五誥解四卷	宋楊簡撰
	絜齋家塾書鈔十二卷	宋袁燮撰
	尚書精義五十卷	宋黃倫撰
	融堂書解二十卷	宋錢時撰
	洪範統一一卷	宋趙善湘撰
	慈湖詩傳二十卷	宋楊簡撰
	續呂氏家塾讀詩記三卷	宋戴溪撰
	絜齋毛詩經筵講義四卷	宋袁燮撰
	毛詩講義十二卷	宋林岊撰
	詩纘緒十八卷	元劉玉汝撰
	周禮新義十六卷 附考工記解二卷	宋王安石撰
	周官總義三十卷	宋易祓撰
	周官集傳十六卷	元毛應龍撰
	儀禮識誤三卷	宋張淳撰
	儀禮集釋三十卷	宋李如圭撰
	月令解十二卷	宋張虙撰
	大戴禮記十三卷	漢戴德撰（周盧辯註）

	春秋釋例十五卷	晉杜預撰
	春秋傳説例一卷	宋劉敞撰
	春秋辨疑四卷	宋蕭楚撰
	春秋本例二十卷	宋崔子方撰
崔氏	春秋經解十二卷	宋崔子方撰
	春秋通訓六卷	宋張大亨撰
	春秋考十六卷	宋葉夢得撰
	春秋三傳讞二十二卷	宋葉夢得撰
高氏	春秋集註四十卷	宋高閌撰
	春秋左氏傳續説十二卷	宋呂祖謙撰
	春秋講義四卷	宋戴溪撰
	春秋集義五十卷綱領三卷	宋李明復撰
洪氏	春秋説三十卷	宋洪咨夔撰
	春秋三傳辨疑二十卷	元程端學撰
	春秋繁露十七卷	漢董仲舒撰
	尊孟辨三卷續辨二卷 別錄一卷	宋余允文撰
	蒙齋中庸講義四卷	宋袁甫撰
	韶舞九成樂譜一卷	元余載撰
	律呂成書二卷	元劉瑾撰
	方言十三卷	漢揚雄撰
	切韻指掌圖二卷附檢例一卷	宋司馬光撰

	舊五代史一百五十一卷 目錄二卷	宋薛居正等撰
	五代史記纂誤三卷	宋吳縝撰
	中興小記四十卷	宋熊克撰
	續資治通鑑長編五百二十卷	宋李燾撰
	建炎以來繫年要錄二百卷	宋李心傳撰
	西漢年紀三十卷	宋王益之撰
	兩朝綱目備要十六卷	不著撰人姓氏
	東觀漢記二十四卷	漢劉珍等撰
郝氏	續後漢書九十卷	元郝經撰
	咸淳遺事二卷	宋不著撰人名氏
	大金弔伐錄四卷	不著撰人名氏
	汝南遺事四卷	元王鶚撰
	讜論集五卷	宋陳次升撰
	慶元黨禁一卷	不著人名氏
	鄴中記一卷	晉陸翽撰
	蠻書十卷	唐樊綽撰
	江南餘載二卷	宋鄭文寶撰
	河防通議二卷	元沙克什撰
	嶺表錄異三卷卷	唐劉恂撰
	嶺表代答十卷	宋周去非撰
	諸蕃志二卷	宋趙汝適撰
	南宋館閣錄十卷續錄十卷	宋陳騤撰

	州縣提綱四卷	不著撰人名氏
	宋朝事實二十卷	宋李攸撰
	漢官舊議一卷補遺一卷	漢衞宏撰
	廟學典禮六卷	元不著撰人名氏
	營造法式三十四卷	宋李誡撰
	崇文總目十二卷	宋王堯臣撰
	直齋書錄解題二十二卷	宋陳振孫撰
	寶刻類編八卷	宋不著撰人名氏
	經幄管見四卷	宋曹彥約撰
	舊聞證誤四卷	宋李心傳撰
	傅子一卷	晉傅玄撰
	帝範四卷	唐太宗撰
	袁氏世範三卷	宋袁采撰
	戒子通錄八卷	宋劉清之撰
	知言六卷附錄一卷	宋胡宏撰
	明本釋三卷	宋劉荀撰
	少儀外傳二卷	宋呂祖謙撰
	項氏家說十卷附錄二卷	宋項安世撰
	準齋雜說二卷	宋吳如愚撰
	朱子讀書法四卷	宋張洪齊熙同編
	家山圖書一卷	原題朱子撰
	折獄龜鑑八卷	宋鄭古撰
	農桑輯要七卷	元司農司撰

	農桑衣食撮要二卷	元魯明善撰
	農書二十二卷	元王楨撰
	顱顖經二卷	宋不著撰人名氏
	博濟方五卷	宋王袞撰
	蘇沈良方八卷	宋沈括撰
	腳氣治法總要二卷	宋董汲撰
	旅舍備要方一卷	宋董汲撰
	傷寒微旨二卷	宋韓祇和撰
	全生指迷方四卷	宋王貺撰
	衞生十全方三卷奇疾方一卷	宋夏德撰
	衞濟寶書二卷	題東軒居士撰
	太醫局程文九卷	不著編輯者名氏
	產育寶慶方二卷	不著撰人名氏
	集驗背疽方一卷	宋李迅撰
	濟生方八卷	宋嚴用和撰
	產寶諸方一卷	宋不著撰人名氏
	急救仙方六卷	不著撰人名氏
	瑞竹堂經驗方五卷	元沙圖穆蘇撰
	周髀算經二卷音義一卷	是書爲相傳古本 注爲趙爽作
	原本革象新書五卷	元趙友欽撰
	九章算術九卷	不著撰人名氏　晉劉徽注

	孫子算經三卷	不著撰人名氏 唐李淳風等注
	海島算經一卷	晉劉徽撰
	五曹算經五卷	不著撰人名氏 唐李淳風等注
	夏侯陽算經三卷	舊宋題夏侯陽撰
	五經算術二卷	北周甄鸞撰　唐李淳風註
	數學九章十八卷	宋秦九韶撰
	益古演段三卷	元李治撰
	皇極經世索隱二卷	宋張行成撰
	皇極經世觀物外篇衍義九卷	宋張行成撰
	大衍索隱三卷	宋丁易東撰
	李虛中命書三卷	舊本題鬼谷子撰 唐李虛中註
	玉照定真經一卷	舊本題晉郭璞撰　張顒註
	徐氏珞琭子賦註二卷	宋徐子平撰
	三命指迷賦一卷	舊本題宋岳珂補註
	月波洞中記二卷	不著宋人名氏
	太清神鑑六卷	舊本題後周王朴撰
	人倫大統賦一卷	金張行簡撰　元薛延年註
	寶真齋法書贊二十八卷	宋岳珂撰
	衍極二卷	元鄭杓撰

	宣和北苑貢茶錄一卷附北苑別錄一卷	宋熊蕃撰
	金樓子六卷	梁元帝撰
	蘇氏演義二卷	唐蘇鶚撰
	雲谷雜記四卷	宋張淏撰
	坦齋通編一卷	宋邢凱撰
	考古質疑六卷	宋葉大慶撰
	愛日齋叢鈔五卷	不著撰人名氏
	風俗通義十卷附錄一卷	漢應劭撰
	呂氏雜記二卷	宋呂希哲撰
	石林燕語十卷考異一卷	燕語宋葉夢得撰 考異宇文紹奕撰
	密齋筆記五卷續筆記一卷	宋謝采伯撰
	澗泉日記三卷	宋韓虎撰
	琴堂諭俗編二卷	宋鄭至道撰彭仲剛續應俊補
	敬齋古今黈八卷	元李冶撰
	日聞錄一卷	元李翀撰
	言行龜鑑八卷	元張先祖編
	古今同姓名錄二卷	梁元帝撰　唐陸善經續元葉森補
	元和姓纂十八卷	唐林寶撰
	寶賓錄十四卷	宋馬永易撰　文彪續補

	古今姓氏書辨證四十卷	宋鄧名世撰
	帝王經世圖譜十六卷	宋唐仲友撰
	全華子二卷	南唐劉崇遠撰
	賈氏談錄一卷	宋張洎撰
	東齊記事六卷	宋范鎮撰
	珍席方談二卷	宋高晦叟撰
	唐語林八卷	宋王讜撰
	高齋漫錄一卷	宋曾慥撰
	萍州可談三卷	宋朱彧撰
	張氏可書一卷	宋張知甫撰
	步里客談二卷	宋陳長方撰
	東南紀聞三卷	元不著撰人名氏
	江淮異人錄二卷	宋吳淑撰
	文子纘義十二卷	宋杜道堅撰
	逍遙集一卷	宋潘閬撰
	南陽集六卷	宋趙湘撰
	文莊集三十六卷	宋夏竦撰
	宋元憲集四十卷	宋宋庠撰
	宋景文集六十二卷 補遺二卷附錄一卷	宋宋祁撰
	文恭集五十卷補遺一卷	宋胡宿撰
	祠部集三十六卷	宋强至撰
	華陽集六十卷附錄十卷	宋王珪撰

	金氏文集二卷	宋金君卿撰
	公是集五十四卷	宋劉敞撰
	彭城集四十卷	宋劉攽撰
	都官集十四卷	宋陳舜俞撰
	鄖溪集三十卷	宋鄭獬撰
	淨德集三十八卷	宋呂陶撰
	忠肅集二十卷	宋劉摯撰
	王魏公集八卷	宋王安禮撰
	濟南集八卷	宋李廌撰
	畫墁集八卷	宋張舜民撰
	陶山居士集十四卷	宋陸佃撰
	雲溪居士集三十卷	宋華鎮撰
	潏水集十六卷	宋李復撰
	學易集八卷	宋劉跂撰
	西臺集二十卷	宋畢仲游撰
	北湖集五卷	宋吳則禮撰
	溪堂集十卷	宋謝逸撰
	日涉園集十卷	宋李彭撰
	灌園集二十卷	宋呂南公撰
	摛文堂集十五卷附錄一卷	宋慕容彥逢撰
	襄陵集十二卷	宋許翰撰
	東堂集十卷	宋毛滂撰
	浮沚集八卷	宋周行己撰

	竹隱畤士集二十卷	宋趙鼎臣撰
	洪龜父集二卷	宋洪朋撰
	跨鼇集三十卷	宋李新撰
	忠愍集三卷	宋李若水撰
	初寮集八卷	宋王安中撰
	橫塘集二十卷	宋許景衡撰
	老圃集二卷	宋洪芻撰
	丹陽集二十四卷	宋葛勝仲撰
	毘陵集十五卷	宋張守撰
	浮溪集三十六卷	宋汪藻撰
	莊簡集十八卷	宋李光撰
	東牕集十六卷	宋張擴撰
	忠惠集附錄一卷	宋翟汝文撰
	樧溪居士集十二卷	宋劉才邵撰
	忠穆集八卷	宋呂頤浩撰
	紫微集三十六卷	宋張嵲撰
	東牟集十四卷	宋王洋撰
	相山集三十卷	宋王之道撰
	大隱集十卷	宋時正民撰
	鄱陽集四卷	宋洪皓撰
	澹齋集十八卷	宋李流謙撰
	灊山集三卷	宋朱翌撰
	雲溪集十二卷	宋郭印撰

	北海集四十六卷附錄三卷	宋綦崇禮撰
	崧庵集六卷	宋李處權撰
	藏海居士集二卷	宋吳可撰
	茶山集八卷	宋曾幾撰
	蘆川歸來集十卷附錄一卷	宋張元幹撰
	鄧紳伯集二卷	宋鄧深撰
	浮山集十卷	宋宋仲并撰
	湖山集十卷	宋吳芾撰
	文定集二十四卷	宋汪應辰撰
	唯室集卷附錄一卷	宋陳長方撰
	漢濱集十六卷	宋王之望撰
	雲莊集五卷	宋曹協撰
	竹軒雜著六卷	宋林季仲撰
	雲山集十六卷	宋王質撰
	方舟集二十四卷	宋李石撰
	香山集十六卷	宋喻良能撰
	宮教集十二卷	宋崔敦禮撰
	蒙隱集二卷	宋陳棣撰
	定庵類稿四卷	宋衞博撰
	澹軒集八卷	宋李呂撰
	尊白堂集六卷	宋虞儔撰
	東塘集二十卷	宋袁説友撰
	涉齋集十卷	宋許及之撰

	乾道稿一卷淳熙稿二十卷 泉稿稿五卷	宋趙蕃撰
	止堂集二十卷	宋彭龜年撰
	緣督集二十卷	宋曾丰撰
	絜齋集二十四卷	宋袁燮撰
	定齋集二十卷	宋蔡勘撰
	九華集二十五卷附錄一卷	宋員興宗撰
	應齋雜著六卷	宋趙善括撰
	芸庵類稿六卷	宋李洪撰
	南湖集十卷	宋張鎡撰
	南澗甲乙稿二十二卷	宋韓元吉撰
	自鳴集六卷	宋章甫撰
	客亭類稿十五卷	宋楊冠卿撰
	蓮峯集十卷	宋史堯弼撰
	燭湖集二十二卷附編二卷	宋孫應時撰
	昌谷集二十二卷	宋曹彥約撰
	省齋集十卷	宋廖行之撰
	山房集九卷	宋周南撰
	後樂集二十卷	宋衛涇撰
	性善堂稿十五卷	宋度正撰
	東山詩選二卷	宋葛紹體撰
	蒙齋集十八卷	宋袁甫撰
	鶴林集四十卷	宋吳泳撰

	東澗集十四卷	宋許應龍撰
	浣川集十卷	宋戴栩撰
	漁墅類稿八卷	宋陳元晉撰
	滄洲塵缶編十四卷	宋程公許撰
	冷然齋集八卷	宋蘇泂撰
	澗泉集二十卷	宋韓虎撰
	篔牕集十卷	宋陳耆卿撰
	臞軒集十六卷	宋王邁撰
	敝帚稿略八卷	宋包恢撰
	庸齋集六卷	宋趙汝騰撰
	張氏拙軒集六卷	宋張侃撰
	靈巖集十卷	宋唐士恥撰
	楳埜集十二卷	宋徐元杰撰
	恥堂存稿八卷	宋高斯得撰
	潛山集十二卷	宋釋文珦撰
	須溪集十卷	宋劉辰翁撰
	葦航漫遊稿四卷	宋胡仲弓撰
	碧梧玩芳集二十四集	宋馬廷鸞撰
	閬風集十二卷	宋舒岳祥撰
	秋聲集六卷	宋衞宗武撰
	廬山集五卷英溪集一卷	宋董嗣杲撰
	則堂集六卷	宋家鉉翁撰
	百正集三卷	宋連文鳳撰

	自堂存稿四卷	宋陳杰撰
	心泉學詩稿六卷	題蒲壽晟撰
	拙軒集六卷	金宋寂撰
	歸田類稿二十四卷	元張養浩撰
	剩語二卷	元艾性夫撰
	牆東類稿二十卷	元陸文圭撰
	青山集八卷	元趙文撰
	紫山大全集二十六卷	元胡祇遹撰
	金淵集六卷	元仇遠撰
	小亨集六卷	元楊弘道撰
	青崖集五卷	元魏初撰
	養吾齋三十二卷	元劉將孫撰
	雙溪醉隱集八卷	元耶律鑄撰
	東庵集四卷	元滕安上撰
	畏齋集六卷	元程端禮撰
	牧菴文集三十六卷	元姚燧撰
	陳秋巖詩集二卷	元陳宜甫撰
	蘭軒集十六卷	元王旭撰
	西巖集二十卷	元張之翰撰
	中菴集二十卷	元劉敏中撰
	王文忠集六卷	元王結撰
	勤齋集八卷	元蕭𣁽撰
	榘菴集十五卷	元同恕撰

	伊濱集二十四卷	元王沂撰
	積齋集五卷	元程端學撰
	子淵詩集六卷	元張仲深撰
	羽庭集六卷	元劉仁本撰
	吾吾類稿三卷	元吳皋撰
	性情集六卷	元周巽撰
	樗隱集六卷	元胡行簡撰
	密菴集八卷	明謝肅撰
	臨安集六卷	明錢宰撰
	藍山集六卷	明藍仁撰
	藍澗集六卷	明藍智撰
	樗菴類稿二卷	明鄭潛撰
	鵝湖集九卷	明龔斆撰
	文選顏鮑謝詩評四卷	元方回撰
	江湖後集二十四卷	宋陳起編
	藏海詩話一卷	宋吳可撰
	歲寒毀詩話二卷	宋張戒撰
	餘師錄四卷	宋王正德撰
	文章精義一卷	宋李耆卿撰
	浩然齋雅談三卷	宋周密撰
	文説一卷	元陳繹曾撰

三、孤本

四庫全書內有部分的善本書，孤本便是其中之一。所謂孤本，是指全天下只有這部書，別無他本。

茲將個人所擁有的四庫全書內的孤本書目，分列於後，請教於大方之家：

◇孤本書目◇

	了齋易一卷	宋陳瓘撰
	讀易詳說十卷	宋李先撰
	周易窺餘十五卷	宋鄭剛中撰
	易變體義十二卷	宋鄭絜撰
	周易經傳集解三十六卷	宋林栗撰
	周易古占法二卷	宋程迥撰
	古周易章句外編一卷	宋程迥撰
	大易粹言十卷	宋方聞一撰
	厚齋易學五十二卷	宋馮椅撰
	周易總義二十卷	宋易祓撰
	西溪易說十二卷	宋李過撰
	易通六卷	宋趙以夫撰
	周易經傳訓解二卷	宋蔡淵撰
	東谷易翼傳卷	宋鄭汝諧撰

	周易詳解十六卷	宋李杞撰
	讀周易記二十一卷	宋方實孫淙山撰
	周易集說四十卷	宋俞琰撰
	周易象義十六卷	宋丁易東撰
	讀易舉要四卷	宋俞琰撰
	易圖通變五卷	宋雷思齊撰
	易筮通變三卷	宋雷思齊撰
	易纂言外翼八卷	元吳澄撰
	易原奧義一卷	元寶巴撰
	周易原首六卷	元寶巴撰
	周易程朱傳義折衷三十三卷	元趙采撰
	周易衍義十六卷	元胡震撰
	周易精蘊大義十二卷	元解蒙撰
	周易圖說二卷	元錢義方撰
	周易爻變義蘊四卷	元陳應潤撰
	周易文詮四卷	元趙汸撰
	讀易餘言五卷	明崔銑撰
	周易像象述五卷	明吳桂森撰
	易象大意存解一卷	清任陳晉撰
	周易圖書質疑二十四卷	清趙繼序撰
	周易章句證異十卷	清翟均廉撰
	尚書講義二十卷	宋史浩撰
	絜齋家塾書鈔十二卷	宋袁燮撰

	尚書要義十七卷序說一卷	宋魏了翁撰
	書義斷法六卷	元陳悅撰
	尚書疑義八卷	明馬明衡撰
	尚書注考一卷	明陳泰交撰
	慈湖詩傳二十卷	宋楊簡撰
	毛詩講義十二卷	宋林岊撰
	毛詩集解二十五卷	宋段昌武撰
	詩傳通釋二十卷	元劉瑾撰
	詩傳旁通十五卷	元梁益撰
	詩經疏義二十卷	元朱公遷撰
	詩纘緒十八卷	元劉玉汝撰
	詩演義十五卷	元梁寅撰
	讀詩略記六卷	明朱朝英撰
	毛詩類釋二十一卷續編三卷	清顧棟高撰
	周禮詳解四十卷	宋王昭禹撰
	周官總義三十卷	宋易祓撰
	周禮句解十二卷	宋朱申撰
	周禮集說十卷	元陳友仁撰
	周官集傳十二卷	元毛應龍撰
	禮經本義十七卷	清蔡德晉撰
	內外服制通釋七卷	宋車垓撰
	月令解十二卷	宋張虙撰
	三禮圖四卷	明劉績撰

	春秋通義一卷	不著撰人名氏
	春秋經解十二卷	宋崔子方撰
	春秋例要一卷	宋崔子方撰
	春秋五禮例宗七卷	宋張大亨撰
	春秋讞二十二卷	宋葉夢德撰
	春秋集解三十卷	宋呂本中撰
	春秋左氏傳說二十卷	宋昌祖謙撰
	春秋比事二十卷	宋沈棐撰
	春秋左傳要義三十一卷	宋魏了翁撰
	春秋講義四卷	宋戴溪撰
	春秋集義五十卷綱領三卷	宋李明復撰
	春秋說三十卷	宋洪咨夔撰
	春秋纂言十二卷總例二卷	元吳澄撰
	春秋三傳辨疑二十卷	元程端學撰
	春秋胡傳附錄纂疏三十卷	元汪克寬撰
	春秋鈎玄四卷	明石光霽撰
	春秋經傳辨疑一卷	明童品撰
	春秋明志錄十二卷	明熊過撰
	春秋輯傳十三卷凡例二卷	明王樵撰
	讀春秋略記十卷	明朱朝英撰
	春秋平義十二卷	清俞汝言撰
	春秋四傳糾正一卷	清俞汝言撰
	春秋管窺十二卷	清徐廷垣撰

	三正考二卷	清吳鼒撰
	春秋究遺十六卷	清葉酉撰
	孝經述注一卷	明項霦撰
	融堂四書管見十三卷	宋錢明撰
	四如講稿六卷	宋黃仲元撰
	五經稽疑六卷	明朱睦㮮撰
	經典稽疑二卷	明陳耀明撰
	十三經義疑十二卷	清吳浩撰
	十三經注疏正字八十一卷	清沈廷芳撰
	九經辨字瀆蒙十二卷	清沈炳震撰
	論語全解十卷	宋陳祥道撰
	石鼓論語問答三卷	宋戴溪撰
	蒙齋中庸講義四卷	宋袁甫撰
	四書集義精要二十八卷	元劉因撰
	四庫窺管八卷	元史伯璿撰
	論語學案十卷	明劉宗周撰
	四書留書六卷	明章世純撰
	鐘律通考六卷	明倪復撰
	古樂書二卷	清應撝謙撰
	西域同文志二十四卷	清傅恒等撰
	篆隸考異二卷	清周靖撰
	史記疑問一卷	清邵泰衢撰
	皇王大記八十卷	宋胡宏撰

	中興小記四十卷	宋熊克撰
	九朝編年備要三十卷	宋陳均撰
	靖康要錄十六卷	不著撰人名氏
	兩朝綱目備要十六卷	不著撰人名氏
	宋史全文三十六卷	不著撰人名氏
	三朝北盟會編二百五十卷	宋徐夢莘編
	春秋戰國異辭五十四卷	清陳厚耀撰
	太平治跡統類前集三十卷	宋彭百川撰
	左史諫草一卷	宋呂午撰
	唐大詔令一百三十卷	宋宋敏求編
	兩漢詔令二十三卷	宋林虙編
	諸臣奏議一百五十卷	宋趙汝愚編
	中州人物考八卷	清孫奇逢撰
	通鑑總類二十卷	宋沈樞撰
	南史識小錄八卷	清沈名蓀朱昆田同編
	北史識小錄八卷	清沈名蓀朱昆田同編
	水經注集釋訂訛四十卷	清沈炳巽撰
	嶺南風物記一卷	清吳綺撰
	南宋館閣錄十卷續錄十卷	宋陳騤撰
	宋宰輔編年錄二十卷	宋徐自明撰
	禮部志稿一百十卷	明泰昌元年官撰
	太常續考八卷	不著撰人名氏
	上官底薄二卷	不著撰人名氏

	元朝典故編年考十卷	清孫承澤撰
	大金集禮四十卷	金張暐等奏進
	大金德運圖說一卷	金貞祐二年撰
	廟學典禮六卷	不著撰人名氏
	兩漢筆記十二卷	宋錢時撰
	太極圖説述解一卷 通書述解一卷西銘述解一卷	明曹端撰
	戒子通錄八卷	宋劉清之撰
	朱子讀書法卷	宋張洪齊熙同編
	家山圖書一卷	不著撰人名氏
	東溪日談錄十八卷	明周琦撰
	正學隅見述一卷	清王宏撰
	雙橋隨筆十二卷	清周召撰
	三略直解三卷	明劉寅撰
	武經總要四十卷	宋曾公亮等撰
	野菜博錄四卷	明鮑山撰
	小兒衞生總微論方二十卷	不著撰人名氏
	類證普濟本專方十卷	宋許叔微撰
	衞生十全方三卷奇疾方一卷	宋夏德撰
	衞濟寶書二卷	題東軒居士撰
	醫説十卷	宋張杲撰
	鍼灸資生經七卷	宋王執中撰
	三因極一病論方論十八卷	宋陳言撰

	急救仙方八卷	不著撰人名氏
	扁鵲神應鍼灸玉龍經一卷	元王國瑞撰
	仁端錄十六卷	明徐謙撰
	本草乘雅半偈十卷	明盧之頤撰
	七政推步七卷	明貝琳撰
	中星譜一卷	清胡亶中撰
	太玄本旨五卷	明葉子奇撰
	皇極經世索隱二卷	宋張行成撰
	皇極經世觀物外篇衍義九卷	宋張行成撰
	觀物篇解五卷 附皇極經世解起數訣一卷	宋祝泌撰
	洪範皇極內外篇五卷	宋蔡沈撰
	天原發微五卷	宋鮑雲龍撰
	大衍索隱三卷	宋丁易東撰
	靈臺秘苑十五卷	後周庾季才撰
	卜法詳考四卷	清湖煦撰
	太乙金鏡式經十卷	唐王希明撰
	郁氏書畫題跋記十二卷 續記十二卷	明郁逢慶編
	珊瑚綱四十八卷	明汪珂玉撰
	祕殿珠林二十四卷	乾隆九年官撰
	石渠寶笈四十四卷	乾隆九年官撰

	六藝之一錄四百六卷 續編十二卷	清倪濤撰
	松弦館琴譜一卷	明嚴澂撰
	玄玄棋經一卷	宋晏天章撰
	香譜四卷	宋陳敬撰
	香乘二十八卷	明周嘉胄撰
	仇池筆記二卷	宋蘇軾撰
	琴堂諭俗編二卷	宋鄭至道撰
	竹嶼山房雜部三十二卷	明宋詡撰
	仕學規範四十卷	宋張鎡編
	元明事類鈔四卷	清姚之駰撰
	實賓錄十四卷	宋馬永易撰
	海錄碎事二十二卷	宋葉廷珪撰
	帝王經世圖譜十六卷	宋唐仲友撰
	職官分紀五十卷	宋孫逢吉撰
	歷代制度詳說十二卷	宋呂祖謙撰
	名賢氏族言行類稿六十卷	宋章定撰
	六帖補二十卷	宋楊伯嵒撰
	翰苑新書前集七十卷後集上 二十六卷衍集下六卷別集十 二卷續集四十二卷	不著撰人名氏
	荊川稗編一百二十卷	明唐順之撰
	喻林一百二十卷	明徐元太撰

	古儷府十二卷	明王志慶編
	別號錄九卷	清葛萬里編
	分門古今類事二十卷	不著撰人名氏
	周易參同契解三卷	宋陳顯微撰
	黃氏補注杜詩三十六卷	宋黃希撰
	常建詩三卷	唐常建撰
	儲光羲詩五卷	唐儲統羲撰
	宗玄集三卷附錄玄綱論一卷內丹九章經一卷	唐吳筠撰
	杼山集十卷	唐釋皎然撰
	蕭茂挺文集一卷	唐蕭穎士撰
	李遐叔文集四卷	唐李華撰
	追昔遊集三卷	唐李紳撰
	詠史詩二卷	唐胡撰
	白蓮集十卷	後唐釋齊己撰
	廣成集十二卷	蜀杜光庭撰
	咸平集三十卷	宋田錫撰
	晏元獻遺文一卷	宋晏殊撰
	文莊集三十六卷	宋夏竦撰
	春卿遺稿一卷	宋蔣堂撰
	祠部集三十六卷	宋强至撰
	古靈集二十五卷	宋陳襄撰
	邕州小集一卷	宋陶弼撰

	丹淵集四十卷拾遺二卷 年譜一卷附錄二卷	宋文同撰
	鄖溪集三十卷	宋鄭獬撰
	錢塘集十四卷	宋韋驤撰
	馮安岳集十二卷	宋馮山撰
	龍學文集十六卷	宋祖無擇撰
	范太史集五十五卷	宋范祖禹撰
	潞公集二十卷	宋文彥博撰
	曲阜集四卷	宋曾肇撰
	南陽集三十卷附錄一卷	宋韓維撰
	樂全集四十卷	宋張方平撰
	廣陵集三十卷拾遺一卷	宋王令撰
	濟南集八撰	李廌撰
	青山集三十卷續集七卷	宋郭祥正撰
	雲溪居士集三十卷	宋鎮華撰
	演山集六十卷	宋黃裳撰
	姑溪居士前集五十卷 後集二十卷	宋李之儀撰
	潏水集十六卷	宋李復撰
	樂靜集三十卷	宋李昭玘撰
	北湖集五卷	宋吳則禮撰
	灌園集二十卷	宋呂南公撰
	摛文堂集十五卷附錄一卷	宋慕容彥撰

	襄陵集二十卷	宋許翰撰
	東堂集十卷	宋毛滂撰
	劉給專集五卷	宋劉安上撰
	竹隱騎士集二十卷	宋趙鼎臣撰
	跨鼇集三十卷	宋李新撰
	丹陽集二十四卷	宋葛勝仲撰
	莊簡集十八卷	宋李光撰
	東牕集十六卷	宋張橫撰
	忠惠仕十卷附錄一卷	宋翟汝文撰
	松隱文集三十九卷	宋曹勛撰
	石林居士建康集八卷	宋葉夢得撰
	北山小集四十卷	宋程俱撰
	忠穆集八卷	宋呂頤浩撰
	紫微集三十六卷	宋張嵲撰
	東牟集四十卷	宋王洋撰
	相山集三十卷	宋王之道撰
	三餘集四卷	宋黃彥平撰
	大隱集十卷	宋李正民撰
	澹齊集十八卷	宋李流謙撰
	北海集四十六卷附錄三卷	宋綦崇禮撰
	崧庵集六卷	宋李處權撰
	王著作集八卷	宋王蘋撰
	郴江百詠一卷	宋阮閱撰

	五峯集五卷	宋胡宏撰
	斐然集三十卷	宋胡寅撰
	鄧紳伯集二卷	宋鄧深撰
	浮山集十卷	宋仲并撰
	湖山集十卷	宋吳芾撰
	嵩山居士集五十四卷	宋晁公朔撰
	默堂集二十二卷	宋陳淵撰
	唯室集四卷附錄一卷	宋陳長方撰
	漢賓集十六卷	宋王之望撰
	拙齋文集二十卷	宋林之奇撰
	燕堂詩稿一卷	宋趙公豫撰
	海陵集二十三卷外集卷	宋周麟之撰
	高峯文集十二卷	宋廖剛撰
	方舟集二十四卷	宋李石撰
	香山集十六卷	宋喻良能撰
	宮教集十二卷	宋崔敦禮撰
	蒙隱集二卷	宋陳棣撰
	樂軒集八卷	宋陳藻撰
	定庵類稿四卷	宋衞博撰
	澹軒集八卷	宋李呂撰
	澹軒集八卷	宋李呂撰
	尊白堂集六卷	宋虞儔撰
	東塘仕二十卷	宋袁說友撰

	義豐集一卷	宋王阮撰
	涉齊集十八卷	宋許及之撰
	蠹齊鉛刀編三十二卷	宋周孚撰
	舒文靖集二卷	宋舒璘撰
	九華集二十五卷附錄一卷	宋員興宗撰
	芸菴類稿六卷	宋李洪撰
	浪語集三十五卷	宋薛季宜撰
	金陵百詠一卷	宋曾極撰
	客亭類稿十五卷	宋楊冠卿撰
	蓮峯集十卷	宋史堯弼撰
	昌谷集二十二卷	宋曹彥約撰
	省齋集十卷	宋廖行之撰
	山房集九卷	宋周南撰
	後樂集二十卷	宋衛涇撰
	華亭百詠一卷	宋許尚撰
	梅山續集十七卷	宋姜特立撰
	性善堂稿十五卷	宋度正撰
	西巖集一卷	宋翁卷撰
	清苑齋集一卷	宋趙師秀撰
	東山詩選二卷	宋葛紹體撰
	平齋文集三十二卷	宋洪咨夔撰
	鶴林集四十卷	宋吳泳撰
	東澗集十四卷	宋許應龍撰

	方是閒居士小稿二卷	宋劉學箕撰
	翠微南征錄十一卷	宋華岳撰
	浣川集十卷	宋戴栩撰
	漁墅類稿八卷	宋陳元晉撰
	滄洲塵罐編十四卷	宋程公許撰
	安晚堂詩集七卷	宋鄭清之撰
	篔牕集十卷	宋陳耆卿撰
	鐵菴集三十七卷	宋方大琮撰
	壺山四六一卷	宋不著撰人名氏
	臞軒集十六卷	宋王邁撰
	東野農歌集五卷	宋戴昺撰
	敝帚稿略八卷	宋包恢撰
	冷然齋集八卷	宋蘇泂撰
	可齋雜稿三十四卷續稿八卷續稿後十二卷	宋李曾伯撰
	澗泉集二十卷	宋韓淲撰
	庸齋集六卷	宋趙汝騰撰
	彝齋文編四卷	宋趙孟堅撰
	張氏拙軒集六卷	宋張侃撰
	楳埜集十二卷	宋徐元杰撰
	北磵集十卷	宋釋居簡撰
	潛山集十二卷	宋釋文珦撰
	巽齋文集二十七卷	宋歐陽守道撰

	本堂集九十四卷	宋陳著撰
	汶陽端平詩雋四卷	宋周弼撰
	膚齋續集三十卷	宋林希逸撰
	葦航漫遊四卷	宋胡仲弓撰
	蘭皋集三卷	宋吳錫疇撰
	覆瓿集六卷	宋趙必𤩪撰
	閬風集十二卷	宋舒岳祥撰
	北遊集一卷	宋汪夢斗撰
	秋聲六卷	宋衞宗武撰
	牟氏陵陽集二十四卷	宋牟巘撰
	四如集五卷	宋黃仲元撰
	佩韋齋文集十六卷	宋俞德鄰撰
	廬山集五卷英溪集一卷	宋董嗣杲撰
	則堂集六卷	宋家鉉翁撰
	富山遺稿十卷	宋方夔撰
	在軒集一卷	宋黃公紹撰
	紫嚴詩選一卷	宋于石撰
	九華詩集一卷	宋陳巖撰
	寧極齋稿一卷 附愼獨叟遺稿一卷	宋陳深撰
	心泉學詩稿二卷	宋蒲壽晟撰
	湛然居士集十四卷	元耶律楚材撰
	淮陽集一卷附錄詩餘一卷	元張弘範撰

	白雲集三卷	元釋英撰
	野趣有聲畫二卷	元楊公遠撰
	剩語二卷	元艾性夫撰
	養蒙集二卷	元張伯淳撰
	牆東類稿二十卷	元陸文圭撰
	青山集八卷	元趙文撰
	桂隱文集四卷詩集四卷	元劉詵撰
	巴西文集一卷	元登文原撰
	屏巖小稿一卷	元張觀光撰
	谷響集三卷	元釋善住撰
	竹素山房詩集三卷	元吾邱衍撰
	紫山大全集二十六卷	元胡祇遹撰
	小亨集六卷	元楊弘道撰
	還山遺稿二卷附錄二卷	元楊奐撰
	青崖集五卷	元魏初撰
	存悔齋稿一卷補遺一卷	元龔璛撰
	雙溪醉隱集八卷	元耶律鑄撰
	東庵集四卷	元滕安上撰
	默菴集五卷	元安熙撰
	芳谷集二卷	元徐明善撰
	陳秋巖詩集二卷	元陳宜甫撰
	蘭軒集十六卷	元王旭撰
	玉井樵唱三卷	元尹廷高撰

	西巖集二十卷	元張之翰撰
	艮齋詩集十四卷	元侯克中撰
	梅花字字香前集一卷 後集一卷	元郭豫亨撰
	中菴集二十卷	元劉敏中撰
	王文忠集六卷	元同恕撰
	勤齋集十五卷	元蕭𣂏撰
	榘菴集十五卷	元同恕撰
	檜亭集九卷	元丁復撰
	伊濱集二十四卷	元王沂撰
	閒居叢稿二十六卷	元蒲道源撰
	積齋集五卷	元程端學撰
	燕石集十五卷	元宋褧撰
	秋聲集四卷	元黃鎮成撰
	杏亭摘稿一卷	元洪焱祖撰
	瓢泉吟稿五卷	元朱晞顏撰
	近光集三卷扈從詩一卷	元周伯琦撰
	金臺集二卷	元納新撰
	子淵詩集六卷	元張仲深撰
	午溪集十卷	元陳鑑撰
	藥房樵唱三卷附錄二卷	元吳景奎撰
	梅花道人遺墨二卷	元吳鎮撰
	林外野言二卷	元郭翼撰

	傲軒吟稿一卷	元胡天遊撰
	北郭集六卷補遺一卷	元許恕撰
	石初集十卷附錄一卷	元周霆震撰
	桐山老農文集四卷	元魯貞撰
	欒京雜詠一卷	元楊允孚撰
	佩玉齋類稿一卷	元楊翮撰
	麟原文集二十四卷	元王禮撰
	來鶴亭詩八卷補遺一卷	元呂誠撰
	性情集六卷	元周巽撰
	花谿集三卷	元沈夢麟撰
	樗隱集六卷	元胡行簡撰
	東山存稿七卷附錄一卷	元趙汸撰
	覆瓿集七卷附錄一卷	明朱同撰
	柘軒集四卷	明淩雲翰撰
	白雲稿五卷	明朱右撰
	密菴集八卷	明謝肅撰
	王常宗集四卷補遺一卷續補一卷	明王彝撰
	半軒集十四卷	明王行撰
	樗菴類稿二卷	明鄭潛撰
	耕學齋詩集十二卷	明袁華撰
	可傳集一卷	明袁華撰
	强齋集十卷	明殷奎撰

	畦樂詩集一卷	明梁蘭撰
	竹齋集三卷續集一卷 附錄一卷	明王冕撰
	獨醉亭集三卷	明史謹撰
	梁園寓稿九卷	明王翰撰
	自怡集一卷	明劉璉撰
	斗南老人集六卷	明胡奎撰
	鵝湖集九卷	明龔斆撰
	滎陽外史集七十卷	明鄭真撰
	峴泉集四卷	明張宇初撰
	唐愚士詩二卷 附會稽懷古詩一卷	明唐之淳撰
	頤菴文選二卷	明胡儼撰
	方齋詩文集十卷	明林文俊撰
	薜荔園詩集四卷	明徐翔撰
	四溟集十卷	明謝榛撰
	淩忠介集六卷	明淩義渠撰
	高氏三宴詩集三卷 附香山九老詩一卷	唐高正臣編
	聖宋文選三十二卷	不著編輯者姓名
	古今歲時雜詠四十六卷	宋蒲積中編
	五百家播芳大全文粹 一百十卷	宋魏齊賢葉棻同編

	三國文類六十卷	不著編輯者姓名
	增注唐第十卷	不著編輯者姓名
	十先生奧論四十卷	不著編輯者姓名
	詩家鼎臠二卷	不著編輯者姓名
	天下同文集四十四卷	元周南瑞編
	古賦辨體八卷外集二卷	元祝堯編
	宛陵羣英集十二卷	元汪澤民張師愚同編
	元風雅二十四卷	元傅習孫存吾編
	草堂雅集十三卷	元顧瑛編
	玉山紀遊一卷	元顧瑛撰明袁編
	大雅集八卷	元賴良編
	元音遺響十卷	不著編輯者姓名
	風雅翼十二卷	元劉履編
	荊南唱和集一卷	元周砥等撰
	乾坤清氣集十四卷	明偶桓編
	滄海遺珠四卷	不著編輯者姓名
	文章辨體瑞彙選七十八卷	明賀復徵編
	明文海四百八十二卷	清黃宗羲編
	宋元詩會一百卷	清陳焯編
	唐音癸籤三十三卷	明胡震亨撰
	歸愚詞一卷	宋葛立方撰

四、武英殿聚珍版本

自四庫全書中抽出所刻印的各種書籍，使用武英殿聚珍版印刷。所謂聚珍版就是活字版。中國在宋仁宗慶曆年間，布衣畢昇用活字版印書（見江少虞皇朝事類苑），畢昇使用的是泥活字版；在明朝毘陵人使用鉛活字版（見孫從添藏書記）；清代印書以木活字、銅活字版並用。古今圖書集成一書是用銅活字版印行，武英殿聚珍本是用木活字印刷。因爲活字的名稱不雅，所以用聚珍來命名。

◇武英殿聚珍版本書目◇

	周易口訣義六卷	唐史徵撰
	溫公易說六卷	宋司馬光撰
	吳園易解九卷	宋張根撰
	易原八卷	宋程大昌撰
	郭氏傳家易說十一卷	宋郭雍撰
	誠齋易傳二十卷	宋楊萬里撰
	易象意言一卷	宋蔡淵撰
	易學濫觴一卷	元黃澤撰
	乾坤鑿度二卷	
	周易乾鑿度二卷	
	易緯稽覽圖二卷	

	易緯辨終備一卷	
	易緯通卦驗一卷	
	易緯乾元序制記一卷	
	易緯是類謀一卷	
	易緯坤靈圖一卷	
	禹貢指南四卷	宋毛晃撰
	尚書詳多二十六卷	宋夏僎撰
	禹貢說斷四卷	宋傅寅撰
	尚書詳解五十卷	宋陳經撰
	融堂書解二十卷	宋錢時撰
	詩總聞二十卷	宋王質撰
	續呂氏家塾讀詩記三卷	宋戴溪撰
	絜齋毛詩經筵講義四卷	宋袁燮撰
	儀禮識誤三卷	宋張淳撰
	儀禮集釋三十卷	宋李如圭撰
	儀禮釋宮一卷	宋李如圭撰
	大戴禮記十三卷	漢戴德撰周盧辯注
	春秋釋例十五卷	晉杜預撰
	春秋傳說例一卷	宋劉敞撰
	春秋經解十三卷	宋孫覺撰
	春秋辨疑四卷	宋蕭楚撰
	春秋考十六卷	宋葉夢得撰
	香秋集注四十卷	宋高閌撰

	春秋繁露十七卷	漢董仲舒撰
	鄭志三卷補遺一卷	漢鄭小同撰
	論語意原二卷	宋鄭汝諧撰
	方言十卷	漢揚雄撰
	兩漢刊誤補遺十卷	宋吳仁傑撰
	三國志辨誤一卷	不著撰人名氏
	五代史記纂誤	宋吳縝撰
	臨清紀回十六卷	乾隆三十九年官撰
	蘭州紀略二十卷	乾隆四十六年官撰
	東觀漢記二十四卷	漢明帝時官修
	明臣奏議二十卷	乾隆四十六年編
	魏鄭公諫續錄二卷	元翟思忠撰
	元朝名臣事略十五卷	元蘇天爵撰
	鄴中記一卷	晉陸翽撰
	蠻書十卷	唐樊綽撰
	元和郘縣志四十卷	唐李吉甫撰
	元豐九域志十卷	宋王存等撰
	輿地廣記三十八卷	宋陽忞撰
	水經注四十卷	漢桑欽撰
	嶺表錦異三卷	唐劉恂撰
	唐會要一百卷	宋王溥撰
	五代會要三十卷	宋王溥撰
	宋朝事實二十卷	宋李攸撰

	建炎以來朝野雜記四十卷	宋李心傳撰
	西漢會要七十卷	宋徐天麟撰
	東漢會要四十卷	宋徐天麟撰
	漢官舊儀一卷補遺一卷	漢衞宏撰
	武英殿聚珍板程式一卷	乾隆三十八年侍郎金簡編
	直齋書錄解題二十二卷	宋陳振孫撰
	絳帖平六卷	宋姜夔撰
	校正淳化閣帖釋文十卷	乾隆三十四年於秘府所儲閣帖
	傅子一卷	晉傅玄撰
	帝範四卷	唐太宗撰
	公是先生弟子記四卷	宋劉敞撰
	明本釋三卷	宋劉荀撰
	項氏家說十二卷附錄二卷	宋項安世撰
	農桑輯要七卷	元至正十年官撰
	農書二十二卷	宋王楨撰
	周髀算經二卷音義一卷	趙爽撰
	九章算術九卷	不著撰人名氏
	海島算經一卷	晉劉徽撰
	五曹算經五卷	不著撰人名氏
	夏侯陽算經三卷	夏侯陽撰，時代未詳
	五經算術二卷	北周甄鸞撰
	寶真齋法書贊二十八卷	宋岳珂撰

	墨法集要一卷	明沈繼孫撰
	鶡冠子三卷	不著撰人名氏
	雲谷雜記四卷	宋張淏撰
	學林十卷	宋王觀國撰
	甕牖閒評八卷	宋袁文撰
	考古質疑六卷	宋葉大慶撰
	澗泉日記三卷	宋韓淲撰
	敬齋古今黈八卷	元李冶撰
	意林五卷	唐馬總編
	涑水紀聞卷	宋司馬光撰
	唐語林八卷	宋王讜撰
	歸潛志十四卷	元劉祁撰
	文子纘義十二卷	宋杜道堅撰
	顏魯公集十五卷補遺一卷 年譜一卷附錄一卷	唐顏真卿撰
	南陽集六卷	宋趙湘撰
	宋元憲集四十卷	宋宋庠撰
	宋景文集六十二卷 補遺二卷附錄一卷	宋宋祁撰
	文恭集五十卷補遺一卷	宋胡宿撰
	祠部集三十六卷	宋强至撰
	公是集五十四卷	宋劉敞撰
	彭城集四十卷	宋劉攽撰

	淨德集三十八卷	宋呂陶撰
	忠肅集二十卷	宋劉摯撰
	山谷内集注二十卷外集注十七卷別集注二卷	宋任淵撰
	後山詩注十二卷	宋任淵撰
	宛邱集七十六卷	宋張耒撰
	陶山集十四卷	宋陸佃撰
	學易集八卷	宋劉跂撰
	西臺集二十卷	宋畢仲游撰
	昆陵集十五卷	宋張守撰
	浮溪集三十六卷	宋汪藻撰
	簡齋集十六卷	宋陳與義撰
	茶山集八卷	宋曾幾撰
	雪山集十六卷	宋王質撰
	乾道稿一卷淳熙稿二十卷章泉稿五卷	宋趙蕃撰
	止堂集二十卷	宋彭龜年撰
	絜齋集二十四卷	宋袁燮撰
	南澗甲乙稿二十二卷	宋韓元吉撰
	蒙齋集十八卷	宋袁甫撰
	恥堂存稿八卷	宋高斯得撰
	拙軒集六卷	宋王寂撰
	金淵集六卷	元仇遠撰

	牧菴文集三十六卷	元姚燧撰
	文宛英華辨證十卷	宋彭叔夏撰
	歲寒堂詩話二卷	宋張戒撰
	恐溪詩話十卷	宋黃徹撰
	浩然齋雅談三卷	宋周密撰

參考書目

文淵閣四庫全書

四庫全書簡明目錄

四庫全書總目　藝文印書館

增訂四庫全書簡明目錄標注　清邵懿辰等撰　世界書局

四庫全書大辭典　楊家駱著

國立故宮博物院善本書目　國立故宮博物院編印

國立北平圖書館善本書目　國立中央圖書館編印

中國典籍史　陳登原著　樂天出版社

中國圖書史　陳力著　文津出版社

中國目錄學史　李瑞良著　文津出版社

敦煌本《壇經》所述五祖六祖事蹟考辨

金榮華

一

敦煌本《壇經》記載：禪宗五祖弘忍擬選法嗣，命門人作偈，言學佛心得。當時神秀於衆弟子中爲第一，夜作一偈，題於廊壁。五祖見了，認爲「祇到門前，尚未得入」，要神秀思考一、兩天後再寫一偈。那時在碓坊舂米的慧（惠）能①，聽人唱念該偈，就也作了兩偈，但因自己不識字，請人代他寫在壁上。五祖見了慧能的偈言，半夜叫慧能去他室中，替他說《金剛經》；慧能一聞便悟，於是五祖授以頓法和袈裟，使成爲禪宗的第六代祖，並且要他當夜離寺南去。神秀的偈言是：

身是菩提樹
心如平鏡臺
時時勤拂拭
莫使有塵埃

慧能的二偈是：

菩提本無樹
明鏡亦無臺
佛性常清靜
何處有塵埃

心是菩提樹
身為明鏡臺
明鏡本清淨
何處染塵埃

這是一則廣爲人知的禪宗故事，偈言也爲人所傳誦。針對文中偈言，已故史學家陳寅恪先生嘗撰〈禪宗六祖傳法偈之分析〉一文，認爲慧能第二偈首兩句「心是菩提樹，身爲明鏡臺」中「心」「身」兩字傳寫有誤，應互換爲「身是菩提樹，心爲明鏡臺」。此外，各偈有二不妥：一爲譬喻不適當，一爲意義未完備②。

所謂譬喻不適當，係指「身是菩提樹」這一句。因爲印度禪學常將人身比擬爲芭焦等易於剝解之植物，以說明陰蘊皆空、肉體可厭之意。中華禪師或易以北地日常服食之葱，可重重剝卻，也是適當之就近取譬。但菩提爲「冬夏不凋，光鮮無變」之堅牢寶樹，取以比譬變滅無常之肉身，則不合佛門重心神而輕肉體之教義。

所謂意義未完備，乃指全偈文意當是身心對舉：言身如樹，分析皆空；言心如鏡，光明普照。然偈文之起首兩句固然是分別言身言心，但後續之三、四兩句卻衹就「心」之本體作用而言，「身」之一方面没有下文。

由此二不妥，陳寅恪先生的結論是：「神秀慧能之偈僅得關於心之一半。其關於身之一半，以文法及文意言，俱不可通。」

案，陳氏的論析十分精闢，但是衹合指神秀一偈；因爲慧能二偈都是就神秀之説加以反駁而陳己意，所以没有什麼不妥之處。陳氏之所以將兩人的偈言相提並論，是認爲慧能第二偈首兩句中「心」「身」兩字有誤而應互換的緣故。若兩字互換爲「身是菩提樹，心是明鏡臺」，便與神秀偈文之首兩句相同，其不妥自亦相同。其實慧能第二偈之首兩句並無錯誤；今存敦煌寫本《壇經》有四：一爲倫敦不列顛圖書館所藏，編號S.5475，首尾完整。二爲敦煌市博物館藏任子宜本，首尾完整。三爲北京圖書館所藏，編號8024，首尾不全。四爲旅順博物館原藏大谷光瑞本。此本現在下落不明，日本龍谷大學藏有照片兩幀③。這四本中，倫敦和敦煌市所藏都完整無缺，所載慧能第二偈的首兩句都作「心是菩提樹，身爲明鏡臺」，可以參證。慧能第二偈之第一第二兩句既然無誤，那麼自然也無如同神秀偈文中文法及文意之不通。玆辨慧能二偈之文意於後。

二

神秀偈文之不妥，除了陳氏所指「以菩提樹比譬人身」和「文意不完備」以外，其第二句「心如明鏡臺」也是不妥當的。審其文意，「心如明鏡臺」這一句要表達的意思應是「心如鏡臺上之明鏡」，但實際衹能解釋爲「心如支架明鏡之鏡臺」。在唐人詩篇中，有以「鏡臺」表示「明鏡」的，如唐、王績（590～644年）〈三月三日賦〉：「臨鏡臺而憶昔，出香街而嘯侶。」因爲「鏡臺」可以指「支擱鏡子的座架」（鏡之臺），也可以指「支有鏡子的座架」或「有座架的鏡子」。然而「明鏡臺」衹能是「明鏡之臺」的意思，以鏡喻心而說「心如明鏡臺」是一個失誤，其不當不稱之處，比「身是菩提樹」更爲明顯。

慧能的兩偈，是針對神秀之偈文而寫的，並且分別從不同的角度來說，相互呼應。第一偈的起首兩句「菩提本無樹，明鏡亦無臺」④，是在「凡所有相，都是虛妄」（《金剛經‧第五品》）之基礎上來否定神秀所謂的「身是菩提樹，心如明鏡臺」。明鏡喻本性，喻佛性。相皆虛妄，本性不空。佛性自有，無藉外物。所以第三第四句云：「佛性常清淨，何處有塵埃？」全盤否定神秀之說。

慧能第二偈的起首兩句爲「心是菩提樹，身爲明鏡臺」，讀者很容易誤以爲是神秀偈文首兩句「身是菩提樹，心如明鏡臺」的重複，因此也有人誤以爲這一偈根本是衍文，不是慧能的思想⑤。其實不然，這一偈是慧能從另一角度，就神秀的思路來立論以否定神秀之偈文的。神秀偈文的文義是：身如菩提寶樹之堅實，心（本性、佛性）如臺上明鏡之光明，衹要勤加修持，莫使沾染貪嗔，自可悟法證道。慧能第二偈的意思應當順著這個角度看，以神秀的偈言爲前提，即是：與其說「身是菩提樹，心如明鏡臺」，不如換過來說「心是菩提樹，身爲明鏡臺」，心（本性、佛性）才是像菩提寶樹般的堅實不壞，身（鏡臺）不過是放置心（明鏡）的器物。然而鏡子（心、本性、佛性）本來就是清淨的，會從那裡沾到塵埃呢！

三

倘可一辨的是三偈寫作時間，也就是五祖弘忍選法嗣、慧能受衣爲六祖的時間。在考辨這個時間之前，有必要先明白五祖弘忍、慧能和神秀三人的年歲，茲列三人的生卒年如下：

五祖弘忍（602～675 年），生於隋文帝仁壽二年，卒於唐高宗上元二年十二月二十三日，享年七十四歲⑥。

慧能（638～713 年），生於唐太宗貞觀十二年，卒於唐玄宗先天二年，享年七十六歲⑦。

神秀（606？～706 年），約生於隋煬帝大業二年，卒於唐中宗神龍二年，享年約百歲⑧。

從三人的出生時間看，慧能比五祖小三十六歲，神秀祇比五祖小四歲左右，比慧能約年長三十二歲。

關於三偈寫作時間，歷來共有四說：

㈠唐高宗慶顯四年（659 年）。此說出自《神會語錄》和《歷代法寶記》。這一年五祖五十八歲，慧能二十二歲，神秀約五十四歲。

㈡唐高宗龍朔元年（661 年）。此說出自唐．法海的〈六祖大師法寶壇經略序〉和〈六祖大師緣起外記〉，王維（684～

758 年）的〈六祖能禪師碑銘〉，柳宗元（773～819 年）的〈賜謚大鑒禪師碑并序〉。這一年五祖六十歲，慧能二十四歲，神秀約五十六歲。

㈢唐高宗乾封二年（667 年）。此說出自劉禹錫（772～842 年）的〈大鑒禪師碑并序〉。這一年五祖五十六歲，慧能三十歲，神秀約六十二歲。

㈣唐高宗咸亨二年（671 年）。此說據唐時不知撰者之《曹溪大師別傳》⑨。這一年五祖七十歲，慧能三十四歲，神秀約六十六歲。

這四說中，以第二說（龍朔元年，慧能二十四歲）最爲人所採用。因爲〈六祖大師法寶壇經略序〉之作者法海雖經考定非《壇經》紀錄者之法海⑩，〈六祖大師緣起外記〉也經認定係後人增刪〈六祖大師法寶壇經略序〉而成⑪，但王維受慧能弟子神會和尚之託而寫的〈六祖慧能禪師碑銘〉中，說慧能辭別五祖後隱遁了十六年才出來說法。慧能出來說法的時間是唐高宗儀鳳元年（676 年），上溯十六年，正是龍朔元年（661 年）。

但是，慧能在二十四歲作偈受衣之說是很可疑的。據敦煌本《壇經》的記述，五祖要門人作偈讓他選法嗣的決定顯得很匆促。他是「忽然於一日喚門人盡來」，對他們說：「（汝等）自取本性般若之智，各作一偈呈吾。吾看汝偈，若悟大意者，付汝衣法，稟爲六代。」最後還說了一句「火急急！」不僅事情宣佈得很突然，語氣也十分急迫。那麼是什麼原因會使五祖急著要馬上選定傳人、授以衣法呢？依常情推測，應該是健康的原因。但龍朔元年五祖是六十歲，而他是七十四歲才去世的。一個七十四歲才去世的人，在六十歲時的健康不會差到急著要在幾天之內選妥法嗣傳位吧！當時五祖也不曾有過病危的情況。

慧能作偈受衣時間之所以會這樣諸說紛紜，無非是爲了使各種相關的說法能銜接起來。王維所撰之慧能碑文，除了上述疑問外，還有著其他矛盾：碑文說慧能得法隱遁十六年後才出來說法，又說五祖是在「臨終」時密授慧能袈裟，還說：「予且死矣，汝其行乎！」那麼慧能是在五祖去世那年得衣離去的，而五祖死於唐高宗上元二年年底，慧能三十八歲。第二年即儀鳳元年，是慧能出來說法之歲，則慧能南返後並沒有隱遁十六年，乃是第二年就遇印宗法師而出來說法了。因此，也有人認爲碑文中的「臨終」是「臨行」之誤⑫。如果這樣，則問題又回到原點，在六十歲時健康應當還不會太差的五祖會說出「予且死矣」這樣的話嗎？還是要以這句話來證明他六十歲時健康已極壞，所以要急急選定傳人？

其實，不僅慧能的作偈受衣時間紛歧不一，神秀在這方面的記載也有異說。唐·張說（667～731年）在神秀死後不久爲神秀寫的〈唐玉泉寺大通禪師碑〉中，說神秀「逮知命之年」入五祖之門，「服勤六年，不舍晝夜」，後來「涕辭而去」⑬。也是唐人所撰的《楞伽人法志》和《傳法寶記》等書則說神秀是在唐高宗永徽二年（651年）歸依五祖的。如果兩者合觀，那年神秀五十歲（知命之年），則和五祖同年（都以虛歲計），慧能十四歲；六年後是唐高宗慶顯二年（657年），神秀和五祖都是五十六歲，慧能二十歲。若依本文所設之神秀生年約在隋煬帝大業二年（606年），則唐高宗永徽二年，神秀是四十六歲，六年後是五十二歲。但無論神秀幾歲，那年五祖都是五十六歲，如果神秀果真是在這一年比偈失敗而離去的，那麼同樣的問題是：爲什麼五祖在五十六歲時就急著趕快選人接位呢？所以，也有人覺得傳說紛紜，各有用心，而比偈之事又過於傳奇，因之認爲所謂比偈受衣之事，根本是《壇經》編集者的創作，並非真有其事⑭。

不過，傳說紛紜，各有用心是事實；後人渲染附會，甚至杜撰一些情節而加以神化⑮，也是事實；但若說整個事件是僞造，則恐怕不是簡單一句話所能論定。因爲當時五祖門下的弟子不少，比偈之事是公開宣佈的，以唐代禪宗派系鬥爭之激烈，憑空揑造，豈會没有人出來駁斥？

今檢《壇經》所記慧能得法說法的經過，除慧能、五祖和神秀三個主要人物外，還有兩位僧人的資料可供探索和檢驗，也得以推論「傳法偈」的寫作時間：一是在慧能南返途中追去要求說法的慧順（或作慧明），一是儀鳳元年爲慧能落髮的印宗。

《壇經》記述慧能得衣受法後，南返抵大庾嶺（今江西廣東交界處）時，被僧人慧順（慧明）追及，要求傳法。據宋初所編《宋高僧傳・唐袁州蒙山慧明傳》所述，此事在唐高宗咸亨四年（673年），那麼也就是慧能比偈得法在這一年。理由如下：

因爲神秀和慧能寫偈之處，是法堂前三間房廊的牆上，那裡原來是要畫《楞伽經》變相的，而且畫工已到寺中，畫價也議定是「三十千」，但由於神秀忽然在上面寫了偈言，五祖臨時改變心意，決定留下偈言而不畫畫了。揆度情理，在外牆上作大幅的壁畫，一般總是在春夏秋三季，不會在冬季。而且作大幅的經變畫需要相當的時間，以畫價三十千觀之，楞伽變也不是短期可完的作品（當時物價無具體資料，約七十年後的絹價是每匹二百文，見《新唐書・食貨志》）。所以，即使是在秋季開工作作畫，也不會是在深秋，以免工期延入冬季。那麼，原定開工作畫的時間既是神秀慧能比偈的時間，可知比偈的時間必在深秋之前，而慧能被慧順（明）在廣東江西交界外的大庾嶺上追到，是慧能辭別五祖後的兩個月（見《壇經》），則最晚也是同一年的年底。所以，慧能南歸而被慧順（明）在大庾嶺上追到之年，即是慧能比偈得法之歲。

慧能得法於咸亨年間的說法，除了前述的咸亨二年和《宋高僧傳》中〈慧明傳〉的咸亨四年外，還有也是《宋高僧傳》中的五祖〈弘忍傳〉和〈慧能傳〉。〈弘忍傳〉說這次比偈的時間在「咸亨初」，〈慧能傳〉說慧能去見五祖的時間是「咸亨中」⑯。「咸亨」共五年，但實際是四年七個月，因爲第五年的八月改元爲「上元元年」了。如果從五祖急於選定傳人是因爲自己年老體衰和送別慧能時說「予且死矣」的話看，比偈之事在咸亨年間是比較合理的，其中又以最晚的「咸亨四年」較爲明確可信。因爲這一年五祖七十二歲；而他是在七十四歲去世的。那麼他在七十二歲時，既久久未得法嗣，又感到自己體力日衰，急於選定傳人的心情和言行便不難理解。

四

至於印宗（627～713 年），他生於唐太宗貞觀元年，卒於唐玄宗先天二年，吳郡（今江蘇蘇州）人，精《涅槃經》。咸亨元年（670 年）在長安弘法，朝廷敕居大愛敬寺，辭不受，時年四十四歲。上元中（674～675 年），往湖北黃梅五祖處諮受禪法，接著去廣東番禺（今廣州市），在那裡遇見慧能，爲其落髮。然後還鄉，應刺史王胄之請，置戒壇度人；又奉敕入京，繼往江東諸寺置戒壇⑰。

從印宗的經歷看，他去五祖處諮受禪法之前，已是京城頗有名聲和地位的僧人，以後也一直受到地方政府和中央朝廷的禮遇，其中值得注意的是他去了五祖處以後就去番禺。在時間方面，印宗去五祖處是在上元中，上元共兩年，第一年是從咸亨五年八月改元開始的，而第二年年底五祖就去世了，所以印宗去五祖處的時間最早是上元元年的秋季，離開那裡去番禺必在上元二年年底五祖去世之前。又，印宗在廣州替慧能落髮是在儀鳳元年正月十七日，置壇授戒在二月八日⑱，儀鳳元年爲上元二年後的一年，所以印宗在五祖處停留的時間最多一年左右，便啓程往番禺了。現在的問題是：印宗爲什麼去番禺？在〈印宗傳〉裡，他每去一處必說明目的：往五祖處是諮受禪法，還鄉是應刺史之請去置戒壇度人，再入京城是奉召入宮，往江東是奉旨去各寺設置戒壇，但是番禺之行則沒有說明爲什麼？祇說「於番禺遇慧能禪師」，那麼他在行前有沒有受五祖之託去找慧能替慧能剃度，或者尋找慧能根本就是印宗此行的目的？

在唐朝，僧人是免除勞役、兵役和稅賦的，全國的僧人有僧官登記和管理，並發給度牒作爲身分的證明。正因爲僧人是免除賦役的，所以也不是任何人高興爲僧就可爲僧，也不是任何僧人願意爲人剃度就可爲人剃度。如果私自出家爲僧尼，受杖一百，私自爲人剃度，也受杖一百，還要流配異鄉；當地的行政負責人和寺廟管理人若知情縱容，也與之同罪⑲，其法甚嚴。在賦役方面，基本上唐朝政府對每個成年男人都授田一百畝，其中二十畝是永業田，可以買賣和被繼承；八十畝是口分田，不能自由買賣，受田者死後由政府收回，而成年男子也有交稅和服役的義務⑳。慧能離家去見五祖時並未出家爲僧，在官府眼中，他就是一名逃避賦役的逃丁，是搜捕的對象，所以五祖決定選他爲傳人後，要他立刻離開他那裡回南方去，他對慧能說：「若往此間，有人害汝，汝即須速去！」應是指衆多僧徒中或許有人替神秀不平而去官府密告慧能是逃丁。他又對慧能說：「努力將法向南，三年勿弘此法，難去在（之）後弘化，善誘迷人。」㉑。所謂「難去」，有人解作「等待災難過去」㉒，這樣解釋沒有說明問題，因爲實際上慧能並沒有什麼災難，他衹有困難，所以應是「等待困難過去」。什麼困難？就是慧能不具有官方承認的僧人身分，無法公開弘法。五祖要慧能「將法向南」，是慧能回到南方邊遠地區的家鄉才易於隱藏。至於「三年」云云，則雖與慧能在咸亨四年（673 年）得法南返至儀鳳元年（676 年）開始弘法所隔年數符合，但恐是後人湊應之數，和後來《壇經》中增加他指示慧能「逢懷則止，遇會則藏」的情節一樣，想以有「預知能力」神化五祖。其實五祖確是一位學養俱佳的高僧，見解和膽識都超人一等，就他處理比偈一事，已足見不凡，實在不必再爲他塗上神秘色彩；因爲他若具神力，便顯不出他作爲一個人的卓越能力，反而流於平庸。

再從五祖方面看，他既然當機立斷選慧能爲傳人，也知慧能是不具僧人身分的逃丁，那麼叫慧能趕緊離去南返之後，繼之而來的當然要設法解決慧能的身分問題，否則立嗣並未實質完成。所以他叫慧能不要急於弘法，一切要等困難解決了再說。解決困難的唯一方法是剃度慧能爲正式的僧人，但是誰才合適去替慧能剃度呢？他自己已經七十二歲，健康情形不允許他跋涉南下了，而以慧能已被立爲法嗣的身分，替他剃度的人必須是一位有名望的高僧，能給慧能度牒，也可由他正式向外界宣告慧能的繼承。於是，印宗的出現，無疑就是最理想的人選。那麼印宗的南下應該就是受五祖之託來辦這些事情的吧！

《曹溪大師別傳》中說印宗於儀鳳元年初在廣州制旨寺講《涅槃經》，慧能去聽講。正月十三日寺中懸幡，諸人夜論幡義，初論者曰：「幡是無情，因風而動。」第二人曰：「風幡俱是無情，如何得動？」第三人曰：「因緣和合故，合動。」第四人曰：「幡不動，風自動耳。」衆人爭論不休之際，慧能在廊下隔壁而聽，這時高聲對衆人說：「佛幡沒有像各位所說的那樣動。所言動者，人者心自動耳！」印宗聽了，在第二天講完經義後就尋問昨夜最後說話的人，於是找到了慧能。經過一番口試，印宗要慧能出示五祖所傳的架裟，確定他真是慧能後，向衆人介紹他就是五祖的傳人，並爲他落髮授戒，給他正式的僧籍，五祖選立禪宗法嗣的工作，至此才經由印宗全部完成。這一年慧能三十九歲，印宗五十歲。

從印宗爲慧能剃度的時間上，也可檢驗慧能比偈得衣在咸亨四年的合理性。就五祖選立傳人的目的而言，當時選了慧能並不就是已經完成了選立的工作，傳給法衣祇是一種形式，真正的完成是要慧能在接下棒子後公開弘法，既是開悟凡衆，光大宗派，也是接受公衆的檢驗，以明他不是憑一己之好，私相授受。然而，如果說比偈之事在龍朔二年，慧能南返後隱遁了十六年才因遇印宗法師而剃度，那麼五祖似乎在慧能南返後就一切聽天由命了，否則怎麼會長達十六年而沒有解決慧能的僧籍問題呢？以五祖當時在佛教界的聲望和地位，真是一拖十六年而不能解決嗎？這與五祖在處理比偈事件上所表現的果斷和遠慮是不相稱的。如果比偈是在咸亨四年，那麼這些疑問便都不存在，因爲五祖當機立斷地選了還不是僧人的慧能爲傳人後，相關的後續工作是接著展開的；首先他要慧能立刻南返隱藏，以免可能遭人向官府告密。慧能離去後他必然考慮如何替慧能解決取得僧籍的困擾；另一方面，慧能南返後也必然會和五祖有某種方式的聯繫，不會師徒一別便互相不再聞問。祇是慧能居所不定，又不通文字，聯繫費時又不便而已。慧能得衣南返在咸亨四年，五祖得知他安返的訊息大概在咸亨五年（上元元年）。依事理常情，五祖得知他安返的訊息後便會具體考慮如何爲慧能取得僧籍之事，而不久印宗自長安前去諮受禪法。就印宗的學養和經歷，當然是十分合適代他往南方爲慧能剃度的人。不過印宗往見五祖有他諮受禪法的目的，需要一段時期的停留；而委請他往尋慧能並爲他剃度之事，也不是三言兩語所可立決。總之，事實顯示印宗是接受了委託，在回鄉之前先往廣州，找到慧能，爲他剃度，完成了五祖選立傳人的全部工作。雖然五祖在印宗找到慧能之前的二十一天已經去世，但在印宗離他南去之時，他必然明白他的選立傳人工作是確定可以完成的了。玆將事件過程編年列表如下，以爲本文總結。

唐高宗	西元	
咸亨四年	673	慧能作偈，被五祖選爲傳人後立刻南返。
咸亨五年 上元元年	674	印宗往五祖處諮受禪法。
上元二年	675	印宗受託往廣州尋慧能，年底五祖去世。
儀鳳元年	676	正月，印宗尋得慧能，爲其落髮。 二月，慧能受戒，正式爲僧。

註　　釋

①敦煌寫本「慧能」作「惠能」，敦煌俗寫「慧」「惠」通用，今依《宋高僧傳·唐韶州今南華寺慧能傳》（卷八）作「慧能」。

②見《清華學報》第七卷第二期（1932年6月），後收入《陳寅恪先生論文集》（台北，文理出版社，民66年），在下册1337～1341頁。

③潘重規〈敦煌壇經校記〉，在其《敦煌壇經新書》（台北，佛陀教育基金會，民83年）第45～46頁。各本照片見該書附錄。

④或引敦煌本「明鏡亦無臺」作「明鏡亦非臺」，非是。

⑤郭朋《壇經導讀》（成都，巴蜀書社，1987 年）第 77 頁註十二。

⑥《宋高僧傳・唐蘄州東山弘忍傳》（卷八）。

⑦《宋高僧傳・唐韶州今南華寺慧能傳》（卷八）。

⑧神秀各傳皆未言其出生年，僅云「隋末出家」，今以隋亡之年（616 年）神秀十歲出家推算其出生時間。參見張說〈荊州玉泉寺大通禪師碑〉，在《文苑英華》卷八五六；《宋高僧傳・唐荊州當陽山度門市神秀傳》（卷八）。

⑨「咸亨二年」傳文作「咸亨五年」，又云此年慧能三十四歲，紀年與年歲不符。今據後文謂慧能得法得衣離去後五載是儀鳳元年（676 年）三十九歲，知「咸亨五年」係「咸亨二年」之誤。蓋儀鳳元年上溯五年固爲咸亨二年，而該年慧能亦正是三十四歲。

⑩印順《中國禪宗史》，第267頁。

⑪丁福保〈六祖大師法寶壇經略序〉題注，在其《六祖壇經箋註》卷首。

⑫杜繼文、魏道儒《中國禪宗通史》（江蘇古籍，1993 年）第 129 頁。

⑬《全唐文》卷 231。

⑭書同註⑪，第 131 頁。

⑮敦煌本《壇經》述五祖送別慧能時，並無慧能請示去向、五祖指示「逢懷則止，遇會則藏」之情節，亦無慧能在大庾嶺指示慧順（後世《壇經》作慧明）「逢袁則止，遇蒙則居」之記載，後世增入，顯然是因慧能南返後隱居於四會懷集之間、慧順（明）後來居於袁州蒙山而杜撰附會者。

⑯同註⑥、註⑦。

⑰《宋高僧傳・唐會稽山妙喜寺印宗傳》（卷四）。

⑱《曹溪大師別傳》（日本大津市比叡山延曆寺藏抄本），影印本見柳田聖山編《六祖壇經諸本集成》（京都，中文出版社，1976年）附錄。排印本見《續藏經》第一四六冊。

⑲《唐律疏義・戶婚》：「諸私入道及度之者，杖一百；已除貫者，徒一年。本貫主司及觀寺三綱知情者，與同罪。」。

⑳《新唐書・食貨志》（卷五一）。

㉑「難去」敦煌市博物館藏任子宜本作「難起」，敦煌俗寫「起」「去」通用，當作「去」。書同註③，第59頁。

㉒書同註⑤，第81頁。

（1998年10月25日初稿，2001年4月2日完稿）

契丹與西夏族系之關係

趙振績

一、前言

契丹族系其先宗奇首可汗、派出鮮卑檀石槐①。西夏族系其說有三：㈠黨項羌的傳統說法㈡鮮卑托拔氏說法㈢契丹族系說法。筆者以契丹族系說法，尚含耶律氏與賀蘭氏的成分中，玆分述如下：

二、黨項羌族系

黨項羌族系可能遠源於宕昌羌者；其先蓋三苗之胤，周時宕昌與庸、蜀等八國從武王滅商。漢有先零，燒當羌等，世爲邊患。其地東接中華，西通西域，南北數千里，姓別自爲部落，酋帥皆有地分，不相統攝，宕昌即其一也。俗皆土著，居有屋宇，其屋織犛牛尾及羖羊毛覆之。國無法令，又無徭役。惟戰伐之時，乃相屯聚，不然則各事生產，不相往來。皆衣裘褐。牧養犛牛、羊、豕以供其食。父子、伯叔、兄弟死者，即以繼母、世叔母及嫂弟媳等爲妻。俗無文字，但候草木榮落，記其歲時。三年一相聚，殺牛羊以祭天。②

梁懃者，世爲酋帥，得羌豪心，乃自稱王焉。懃孫彌忽、魏世祖初，遣子彌黃奉表求內附，世祖嘉之，遣使拜彌忽爲宕昌王，賜彌黃爵甘松侯（今日四川潘縣西南）。彌忽死，孫虎子立。其地自仇池（甘肅省成縣西）以西，東西千里，席水（天水郡上邽縣）以南，南北八百里，地多山阜，人二萬餘落。世修職貢，頗爲土谷渾所斷絕。虎子死，彌治立。虎子弟羊子先奔吐谷渾，遣兵送羊子，卻奪彌治位。彌治遣使請救，顯祖詔武都鎮將宇文生救之，羊子退走。彌治死，子彌機立。楊文度之叛，圍武都（甘肅岷縣），彌機遣其二兄率衆救武都，破走文度。高祖時，遣使子橋表貢朱沙、雌黃、白石片各一百斤。③

自彌忽至厶定九世，西魏文帝大統七年厶定又舉兵入寇，詔信衆討之。軍未至而厶定爲其下所殺，乃以其弟彌定爲宕昌王（《梁書．宕昌傳》彌博死，子彌泰立）保定初，彌定遣使獻方物。四年彌定寇洮州，總管李賢擊走之。是歲，彌定又引吐谷渾寇石門戍，賢復破之。高祖怒，詔大將軍田弘討滅之，以其地宕州（甘肅岷州）。④

黨項羌者，三苗之後。其種有宕昌、白狼。⑤

黨項羌，漢西羌之別種。周滅宕昌、鄧至，而黨項始強。北連土谷渾，處山谷間，亙三千里。其種每姓別自爲部落，一姓之中復分爲小部落，大者萬餘騎，小者數千騎，不相統一。有細封氏，費聽氏、往利氏、頗超氏、野辭氏、房當氏、米擒氏、拓拔氏，而拓拔氏爲最爲强族。⑥

黨項西羌之遺種。東至松州，西接葉護，南界春桑，北鄰吐谷渾，有地三千餘里。其大姓有細封氏、費聽氏、折氏、野利氏、拓拔氏爲最强。⑦

黨項漢西羌：別種。有細風氏、費聽氏、往利氏、頗超氏、野辭氏、房當氏、來禽氏、拓拔氏最爲强族。⑧

西夏，本魏拓拔氏後，其地則赫連國也。⑨

太宗至道元年繼遷乞夏州：「臣雖拓拔氏小宗」。⑩

西夏本魏拓拔氏之後，其地則赫連國也。⑪

西夏本赫連國地，而其先則魏拓拔氏後也。⑫

綜上所述，西夏族系始自宕昌部，被北周亡，繼之而起爲黨項部，而黨項部爲宕昌種之延續。黨項族分爲八部，以魏拓拔氏最爲强族，故西夏立國，統治王室多爲魏拓拔氏，被統治者多爲黨項羌。⑬

三、契丹與西夏族系之關係

西夏族系傳統說法，以黨項羌族系涵概之，近三十年才强調西夏由拓拔氏與黨項羌合組而成。而筆者因爲寫契丹族系，契丹族系遠淵於鮮卑族，尤與鮮卑之拓拔氏關係密切，互爲婚姻，變成拓拔氏與契丹賀蘭氏的混血兒，而西夏族系八部中，以魏拓拔氏最强，成爲西夏王室之主流，故契丹與西夏族系關係密切。茲分述如下：

㈠賀蘭氏與拓拔氏之關係：

鮮卑英雄檀石槐盡有匈奴故地，東西萬二⑭千餘，南北七千餘。自分其地爲三部：東部以槐頭（宇文氏）爲主，中部以慕容氏爲主，西部以日（耶律）、推寅（拓拔氏）爲主，各爲大帥，而皆制屬檀石槐。⑮日律可能爲耶律異譯，因爲契丹宗奇首、派出檀石槐⑯。推寅爲拓拔氏⑰。

賀納、代人，太祖之元舅，獻明后之兄也。其先世爲君長，四方附國者數十部。祖紇，始有勳於國，高代平文女。父野干，尚（魏）昭成女遼西公主。昭成崩，諸部乖亂，獻明后與太祖及衞、秦二王依訥。會苻堅使劉庫仁分攝國事，於是魏太祖還居獨孤部。訥總攝東部大人，還居大寧（今內蒙，寧城縣、大明鎮），侔於庫仁。苻堅假訥鷹揚將軍。⑱

桓帝諱猗㐌——桓帝弟穆帝諱猗盧——平文帝諱鬱律（妻賀蘭氏）——烈帝翳槐（律）賀蘭氏生。昭成帝什翼犍——獻明帝君實居賀蘭氏——道武帝珪賀蘭氏生（《魏書》卷一〈序紀一〉）賀蘭氏紇尚平文女——野干尚昭成女遼西公主——訥・弟干。⑲

由上所引桓諱猗㐌（律）、弟穆弟猗盧（律），平文帝諱鬱（耶）律，耶帝翳（耶）槐（律），可能是耶律氏之異譯、而平文帝妻賀蘭氏生烈帝翳槐，獻明帝妻賀蘭氏爲后生道武帝，故拓拔氏自烈帝以後均是拓拔氏與賀蘭氏之混血兒，如西夏之統治者爲魏之拓拔氏；則西夏王室之後，包含著拓拔氏與契丹之耶律氏、賀蘭氏之血統。再加上賀蘭氏之賀紇尚魏平文帝女，子賀野干尚昭成帝女，是拓拔氏與賀蘭氏親上加親。

㈡契苾氏與西夏之的關係：

契蔽（苾）氏可能爲鮮卑族之異譯，是從鮮卑拓拔氏與賀蘭氏混血兒的遺裔：

伊吾（哈密）以西，焉耆（月氏）之北，傍白山，則有契蔽等勝兵二萬。鐵勒厚其稅，斂其物而叛。契蔽歌楞爲易勿真莫何可汗，居貪污山⑳。伊吾屬哈密，焉耆爲月氏之異譯，傍白山即祁連山，契弊居貪污山即唐努山南麓。㉑

契苾（羽）在焉耆西北，鷹娑川多覽葛（大裕勒都斯）。其酋葛楞自號易勿真莫賀可汗，弟莫賀吐特勒皆有勇莫賀咄死，其何力尚鈕，率其部來歸，時貞觀六年（532 年）詔處甘（今張掖縣）涼（今武威縣）間，以其地榆溪州（今陝西省榆林縣西古兒城）。高宗永徽四年（653 年）以其部爲賀蘭都督府、隸燕然都督。何力有戰力、忠節也。文宗太和中（830～835 年），其種帳附於振武（今內蒙和林格爾縣）㉒契苾爲鮮卑之異譯，而契苾亦賀蘭氏，亦與拓拔氏之賀蘭氏關係密切。《隋書》曰契蔽，《新唐書》曰契苾，元稱斡亦剌特，明曰瓦剌，清代謂衞拉特，西人稱謂卡爾莫賀（Kalmuck），義爲遺留之民族㉓。契苾沙門於唐太、高宗時任賀蘭都督㉔。契苾明任賀蘭都督上柱國涼國公㉕。契苾承明任賀蘭都督㉖。綜上所引，在甘（今張掖縣），涼（今甘肅武威縣）有契苾氏，其酋契苾沙門，明㷧，承明均賀蘭都督，足證明甘涼有賀蘭氏，才設賀蘭都督府而任命契丹酋爲賀蘭都督，契苾氏爲其遺民可能形成新疆之元之斡亦剌特，明之瓦剌，清之衞拉特族。

甘涼間在《史記・匈奴傳》：失我祁連山，使我六畜不繁息，失我焉耆山，使我婦女無顏色。焉耆山一名删丹山㉗。西河故事云：後魏改删丹爲山丹㉘。山丹爲契丹人所住之地：

「垂楊寄語山丹，你到江南艱難，你那裡娶個南婆，我這裡嫁個契丹。」㉙「契丹音讀賀蘭」㉚由以上所引，更證明甘涼間爲契丹賀蘭散居之地，故西夏族系，含有大量契丹賀蘭氏的血緣成分很大。

㈢西夏八部族：耶律氏含義：

西夏八部中，以姓爲部、有細封氏、費聽氏、往利氏、頗超氏、野辭氏、房當氏、米禽氏、拓跋氏，而拓跋氏最爲强族。㉛

《五代史記》：「細封氏、費聽氏、折氏、野利氏、拓跋氏爲最强。㉜

《宋史》：「細風氏、往利氏、頗超氏，野亂氏、房當氏、來禽氏、拓跋氏最爲强。㉝

《新、舊唐書》作「野辭氏」，《五代史記》作「野利氏」，宋史作野亂氏，《通典》》卷一九〇〈邊防六〉、《通考》卷三三四、〈四裔考〉均作野律氏。筆者之意，野辭氏、野利氏、野亂氏、野律氏，可能均爲耶律氏之異譯。

《西夏紀》：「西夏本赫連國地，而其先則魏拓跋氏後也。按西夏先姓於彌。錢氏大昕《廿二史考異》：李恒傳：其先姓於彌氏，唐末賜姓李，世爲西夏國王。按西夏之先，本拓跋氏，於彌與拓跋氏不相近，蓋元時國俗之語。吳澄撰李世安（即散朮）墓誌云：公西夏賀蘭於彌部人也。又顏鐵木兒傳作唐兀吾密氏；察罕傳唐兀烏密氏，北人讀吾如烏，蓋同族也。李恒傳稱於彌氏與烏密聲亦相近。」㉞

綜上所述，西夏其先則拓跋氏後也，賀蘭於彌部人也，於彌部人，以筆者推測於彌可能是耶律之異譯也。於彌可能出自耶律氏之族系。

四、西夏遺族之流向

夏國，自稱大夏、白上國、白高國，史稱西夏，自景宗元昊於 1038 年建國開始至末祖睍 1227 年被蒙古成吉思汗滅亡為止，享國 190 年，歷十主。其遺族流向，除融合於新疆之衞拉特，托跋氏藏族外，餘多融於漢族。

㈠西夏皇裔流向：成吉思汗進攻西夏，西夏末代主李睍投降被殺㉟。俘擄了西夏（唐兀惕）人民趕盡殺絕㊱。李氏後代住在青海湟水流域的樂都共有李氏 241 戶，1287 人，即便湟中、平安、民和、西寧等縣市均有李氏遺族㊲。《元史》卷一二〇察罕、卷一二九李恆、卷一二四李貞等皆為嵬名氏（烏密、不密）之後，列傳 35 人之多㊳。

㈡西夏河南遺民，有闞楊氏約 3500 餘人。集中居住在河南濮陽城東約五十里的楖屯鄉㊴。唐兀氏流亡於河南是唐兀諱閭馬㊵㊶。

㈢西夏安徽遺民：余闕在撰青陽文集送彥溫赴河西廉使序云：合肥守軍，一軍皆夏人。其余氏遺民數百戶約千餘人㊷。

㈣西夏福建遺民：林泉野記曰：劉延慶其先西夏熟戶，世為將，知名後，居延安府㊸。延慶二子先世浙西安撫大使，父延慶本夏人。其裔孫劉顎之孫劉惠蓀住福州。現任福建省藝術研究所。㊹

㈤西夏河西遺民：河西陷西夏者二百年，諸羌雜處，元人謂之唐兀。《元史》高智耀傳，世任夏國，登本國進士第，夏亡，隱賀蘭山。皇子闊端鎮西涼，儒者皆隸役，智耀謁藩邸，請除儒者役，皇子從其言。憲宗即位，智耀入見，言儒者所學堯、舜、禹、湯、文武之道，自古有國家者，用之則治，不用者否，採用其言。世祖即位復召見，採其言。智耀姓高，非漢姓，其孫納麟，《元史》卷一四二有傳，不載高姓。五代而後，河西陷西夏者二百年，諸羌雜處，元人謂之唐兀氏，爲色目之一種。㊺

㈥西夏西藏遺民：〈西藏王臣記〉：西夏王多吉見的後代崩德，有六子，其中查巴達曾在西藏的後藏建造了昂仁寺，並在此寺居住下來，還得到蒙薛禪汗封爲司徒職務的封誥和寶印。㊻

㈦西夏遺族歸依穆斯林：西夏亡後五十二年（1279 年）阿蘭答繼承父王忙哥剌的安西王和唐兀惕地區原職務，使其帶領十五萬蒙古軍隊，大部分皈依了穆斯林（伊斯蘭教）㊼明代以寧夏回族自治區的穆斯林居民與西夏遺民有著很大的關係。㊽

五、西夏民族徙地

西夏民族屬於塞北遊牧遷徙的民族，故其地緣空間影響其生活很大。在地緣中尤以崑崙山系爲主，崑崙其意爲橫、橫貫塞北一帶，對塞北民族生活供獻很大。上山打獵，下水捕魚，春夏在山北西伯利亞放牧，秋東在山南避風雪，其中尤以崑崙北支如天山、祁連山、焉耆山、賀蘭山、陰山（大青山）、興安嶺、長白山，更是匈奴、鮮卑、羌、氐、契丹、黨項、蒙古等族的棲息地。

㈠天山：

天山橫貫新疆西東，將其地分割南北兩疆，北疆有準葛爾盆地，是古民族含育之地，鮮卑英雄檀石槐締造了鮮卑大帝國，中慕容氏，先後建國成前、後，南燕等三國。西托跋氏，締造成西秦、南涼、北魏、西秦鮮卑乞伏氏與南涼秀髮融合成爲契苾氏，於隋、唐時焉耆山西北出現。契苾氏至蒙元時稱斡亦剌惕，明代稱瓦剌，清代謂之衞拉特，其族地在新疆之北疆㊾。

未見到新疆天山，不知天山的偉大，假若沒有天山上終年積雪融化的水，灌溉著新疆上的萬物，那有新疆的生命，尤以三十八種民族的存活。故天山可稱天賜寶山，故稱天山。

㈡祁連山：

失我祁連山，使我六畜不蕃息；失我焉（胭）支（脂）山，使我婦女無顏色㊿。故祁連山與焉耆山對於塞北民族的重要性。祁連山上的雪水孕育著河西的生機，故可以說天賜神水。

伊吾（哈密）以西，焉耆（月氏）之北，傍白山（祁連山），則有契蔽等勝兵二萬。鐵勒厚其稅，斂其物而叛。契蔽歌楞爲真莫何可汗，居貪污山（唐努山南麓）㉛契苾（羽）在焉耆（山丹）西北，鷹娑川多賢葛（大裕勒都斯），其酋葛楞自號易勿真莫賀可汗，弟莫賀咄特勒皆有勇莫賀咄死，其何力尚鈕，率其部來歸，時貞觀六年（632年）詔處甘（今甘肅張掖縣）涼（今甘肅武威縣）間，以其地爲榆溪州（今陝西省榆林縣西古兒域。唐高宗永徽四年（653年）以其部爲賀蘭都督府。㊷在敦煌沙鳴山有月牙泉由黨河形成的，黨河自敦煌沙鳴山至祁連山南，則有黨河南山，故敦煌可能是由黨項而得名，即便不是，而黨河之黨河南山，是由黨項族而得名，是無容置疑的。

㈢賀蘭山：

賀蘭山脈，由蘭州北來之祁連山脈之系統。長一五〇公里，寬約三十公里，海拔一五〇〇～二〇〇〇公尺。賀蘭山脈，一名阿拉善；阿拉善，乃蒙語賀蘭一音之轉，考阿拉善之名，早年不見於史册。而賀蘭之稱，則傳古今。如唐詩「夜半火來知有敵，一時奇保賀蘭山」。賀蘭山脈，雄居塞上，北控後套之要衝，東瞰鄂爾多斯，南越長城，而窺皋蘭，西以沙漠而拒蒙古，形勢非常險要㊸。賀蘭山在內蒙保靜西南九十三公里，山有樹木青白望如駮馬，北（胡）人呼駮爲賀蘭。（賀蘭義爲馬驃，義即移刺馬）。從首至尾，有像月形，南北約長五百餘里㊹。賀蘭氏，鮮卑之類，多以山名爲氏，今賀蘭姓者，因此山名㊺。宋真宗咸平五年（1002年）黨項首領李繼遷攻陷靈州後，賀蘭山從此落入西夏人之手。宋天禧四年（1020年）李德明改懷遠鎮爲興州，從此賀蘭山便成爲西夏建都的天然屏障。宋仁宗明道三年（1033年）元昊升興州爲興慶府。宋仁宗寶元元年（1038年）元昊稱帝建國，定都興慶府，以五萬精兵駐守賀蘭山，從此賀蘭山牢固掌握在西夏統治者的手中，直至西夏滅亡（1002～1227年），西夏占據賀蘭山達二二五年之久。

㈣大青山：

大青山爲陰山之北麓，可稱爲賀蘭山。

平文皇帝鬱律三年，石勒遣石虎率騎五千來寇邊部，帝禦之句注陘北，不利，遷於大寧（内蒙寧城縣大明鎮）。時烈帝翳槐（律）居於舊賀蘭部，帝遣使求之，賀蘭部帥藹頭，擁護不遣。帝怒，召宇文部并勢擊藹頭，宇文部衆敗，帝還大寧。五年帝出居宇文部。賀蘭及諸部大人共立烈帝翳槐（律），七年，藹頭不修臣職，召而戮之㊻。賀訥與諸大人勸進，太祖（珪）王位于牛川（今山西右玉縣北邊疆外）會諸（八）部大人于牛川㊼。帝（太祖）慮内難，乃北踰陰山，幸賀蘭部，阻山爲固㊽。陰山北麓爲大青山，有賀蘭部，因以爲氏。

魏太祖登國五年（390年）魏王珪會趙麟於意辛山（在牛川（今北德基欽河）北賀蘭部所也。據《北史》：踰陰山而北，即賀蘭部，故陰山北大青山，可稱契丹賀蘭氏之大山。

㈤興安嶺：

魏有托跋氏，國有大鮮卑山。聖武皇帝諱詰汾，獻帝命南移，山谷高原、九難八阻，於是欲止。有神獸，其形似馬，其聲類牛，先行導引，歷年乃出，始居匈奴故地㊾。成了西托跋氏。

魏先之居幽都也，鑿石爲祖宗之廟於烏洛侯國西北。自後南遷，其地隔遠。真君（魏太武帝）中，烏洛侯國遣使朝獻，云石廟如故，民常祈請，有神驗焉⑥⓪。石室廟高七十尺，深九十步。魏主（太武帝）遣中書侍郎李敞詣石室致祭，刻祝文石壁而還，去平城（今山西大同市）⑥①今人枚平氏所發現，名爲嘎仙洞。

綜上所述，天山北疆準葛爾盆地北朝西鮮卑乞伏與秀髮混合契苾氏演而化之爲元之斡亦拉特，明之瓦剌，清之衛拉特。祁連山之契苾氏爲賀蘭氏，與西夏關係密切。内蒙之賀蘭山爲西夏族系育孕之地。興安嶺之拓跋氏，含有耶律氏和賀蘭氏之混血兒，與西夏關係密切。

結語

西夏族系在傳統説法屬於黨項羌，鮮卑托跋氏，本文論證的結果，西夏族系不但統治者是托跋氏，被統治爲黨項羌，而且統治者不純粹是托跋氏，確定托跋氏是由托跋氏與賀蘭氏的混血兒爲其統治者。在托跋氏與賀蘭氏混血過程中，除托跋氏與純賀蘭氏兩半部互婚之關係外，尚有契苾氏之賀蘭氏與西夏之混合族系。從西夏八部族内部野利（律），則是耶律氏的異譯，亦佔西夏八部族之一部族。在西夏族系地緣關係，更證明托跋氏與賀蘭氏關係密切。進一步確定西夏族系與契丹賀蘭氏關係密不可分。

註　　釋

①《耶律羽之墓誌銘》，（文物、一九九六年一期），頁三十二。

②《魏書》，卷一百一，宕昌羌，頁二二四一之一。

③同註②。

④《周書・宕昌羌傳》，卷四十九，頁八九三。

⑤《隋書》，卷八十三，黨項傳。

⑥《舊唐書》，卷一九八，黨項羌；《新唐書》，黨項羌圖引。

⑦《新五代史》，卷七十四，黨項。

⑧《宋史》，卷四九一，黨項。

⑨《遼史》，卷百十五，西夏。

⑩吳廣成撰：《西夏書事》，卷一。

⑪張鑑撰：《西夏紀事本末卷之一、得姓始末》。

⑫戴錫章撰：《西夏紀卷首》。

⑬趙振績著：《中國通史史綱》，頁一三六；林旅芝著：《西夏史》，頁十一。

⑭《後漢書・鮮卑傳》。

⑮《三國志・魏志。鮮卑傳注魚豢魏略》。

⑯《耶律羽之墓誌銘》（文物，一九九六年），一期，頁三十二。

⑰《魏書・官氏志》。

⑱《魏書・賀訥傳》，卷八十三上。

⑲同註⑱。

⑳《隋書・鐵勒傳》，卷八十四。

㉑劉義棠著：《中國邊疆民族史》，頁二三〇～五。

㉒《新唐書・契苾傳》，卷二一七下，頁六一四二。

㉓凌純聲著：《中國邊疆民・邊疆文化論集》，頁十一。

㉔《新唐書》，卷一百一十，頁四一一八。

㉕《全唐文卷一八七契苾府君碑銘》。

㉖《舊唐書・王君奐傳》，卷一〇三，頁三一九三。

㉗《史記・匈奴傳》，卷百十。

㉘《明史・孝宗弘治元年八月條》。

㉙陳述著：《遼文匯・軒渠集》，卷九，頁五下。

㉚巴克爾著（黃淵譯）：《韃韃千年史》，（台灣商務人人文庫本），頁二二五。

㉛《舊唐書・黨項傳》，卷一九八。

㉜《五代史記・黨項》，卷七四。

㉝《宋史・黨項》，卷四九一。

㉞《西夏紀卷首》；錢大昕撰：《廿二史考異》，卷九十五，頁四上下。

㉟《蒙古秘史》，二六七節。

㊱《蒙古秘史》，二六八節。

㊲李培華教授：《李氏家譜》。

㊳李範文著：《賀蘭山下的神秘王國西夏》，（中研院史語所）。

㊴《楊氏族譜》。

㊵《大元賜敦武校尉軍民萬戶府百夫長唐兀公碑銘》（元順帝至正十六年，1356年）。

㊶李範文：同註㊳。

㊷《余氏宗譜》。

㊸《三朝北盟會編》，卷七十，頁九上。

㊹李範文：同註㊳。

㊺陳垣撰：《元西域人華化考》，卷二，頁八上～九上。

㊻《西藏王臣記》（五七年版），頁一五一。

㊼拉施特主編：《史集》（商務：一九八六年），第二卷，頁二七九～八〇。

㊽克恰諾夫著、李仲三譯：《西夏法典序》（寧夏人民出版：1988 年版）。

㊾凌純聲著：《中國邊疆民族》（邊疆文化論集），頁十一。

㊿《史記・匈奴傳》（西河故事云）。

51《隋書・鐵勒傳》，卷八十四。

52《新唐書・契苾傳》，卷二一七下，頁六一四二。

53竇震寰著：《賀蘭山的全貌》，（邊政公論），第三期，頁十四～十五。

54《元和郡縣志》（保靜縣），卷四。

55《太平寰宇記》，卷三十六。

56《魏書》卷一（序記一）。

57《魏書・賀訥傳》，卷八十三上。

58《魏書・太祖紀》，卷二。

59《魏書》卷一（序紀一）。

60《魏書》，卷一〇八之一，頁二七三八。

61《通鑑》卷一二四（宋紀六、文帝元嘉二十年），四四三，頁三八九九。

轉化論

黃慶萱

一、概說

描述一件事物時，轉變其原來性質，化成另一種本質截然不同的事物，而加以形容敍述的，叫作「轉化」。在早期的修辭學書籍論文中，「轉化」或稱爲「比擬」，或稱爲「假擬」，都容易與「譬喻」混淆。所以這兒採用在春創造的名詞：「轉化」。

轉化的第一種是「人性化」。

《莊子・秋水篇》上有這麼一則故事：

> 莊子與惠子遊於濠梁之上。
>
> 莊子曰：「儵魚出游從容，是魚之樂也。」
>
> 惠子曰：「子非魚，安知魚之樂？」
>
> 莊子曰：「子非我，安知我不知魚之樂？」
>
> 惠子曰：「我非子，固不知子矣；子固非魚也，子不知魚之樂，全矣。」
>
> 莊子曰：「請循其本。子曰『汝安知魚樂』云者，既

已知吾知之而問我，我知之濠上也。」

這個故事中，惠施把魚視爲一個獨立的客體，他的心靈與天地萬物是分開的，因此他不能肯定或否定「魚之樂」，可以說代表一種科學精神。莊子卻把自己「出遊從容」的「樂」趣，投射到魚的身上，他的心靈與天地萬物是並生合一的，所以他能肯定了「魚之樂」，可以說代表一種哲思與文學精神。所謂「人性化」就是把人類的心情投射於外物，把外物都看成人類一樣，而加以描述。例如：

波滔滔兮來迎；
魚鄰鄰兮媵予。（屈原：九歌·河伯）

有生命的「魚」固知「媵予」——陪著我；無生命的「波」也會「來迎」。這種「擬物爲人」的方法，使得「魚」「波」都轉化爲人了。

轉化的第二種是「物性化」。

仍先從《莊子》中摘出一則故事。〈齊物論〉中有：

昔者莊周夢為蝴蝶，栩栩然蝴蝶也。自喻適志與，不知周也。俄然覺，則蘧蘧然周也。不知周之夢為蝴蝶與，蝴蝶之夢為周與？周與蝴蝶，則必有分矣，此之謂物化。

文學作品中，也常常把人當作其他動物、植物，甚至無生物來描述。例如：

世溷濁而莫余知兮，
吾方高馳而不顧。（屈原：九章·涉江）

「高馳」兩字，便是把人轉化成馬而加以敍述，這種「擬人爲物」的方法，使得人都「物性化」了。

轉化的第三種是「形象化」。

「人性化」是「擬物爲人」；「物性化」是「擬人爲物」。「形象化」則是「擬虛爲實」，使抽象的觀念具體化。它與「人性化」「物性化」之不同在於：「擬人爲人，擬物爲物」。例如：

徘徊於桂椒之間，
翺翔於激水之上。（宋玉：風賦）

首句用「徘徊」二字，擬物爲人，是「風」的人性化；次句用「翺翔」二字，擬物爲物，是「風」的形象化。

二、舉例

(一)人性化——擬物爲人

或稱「人格化」或「擬人格」。以下再依詞性分類。

1. 名詞法

⑴苦竹園南椒塢邊，微香冉冉淚涓涓。（李商隱：野菊）

案：以名詞「淚」將菊花人性化。

⑵但蜂媒蝶使，時叩窗槅。（周邦彥：六醜）

案：「媒」、「使」使「蜂」、「蝶」人性化。

⑶粉紅的海棠，含著幸福的微笑。（謝冰瑩：愛晚亭・秋戀）

案：「微笑」是人的表情，此句用「微笑」把海棠比擬爲人。

⑷《新青年》正在鼓吹德先生和賽先生，以求中國的新生。（蔣夢麟：西潮）

案：德先生指民主（democracy），賽先生指科學（science），名詞「先生」使民主、科學人性化了。蔣氏語本陳獨秀〈本誌罪案之答辯〉：「要擁護德先生又要擁護賽先生，便不得不反對國粹和舊文學。」題目中「本誌」正指《新青年》。

⑸在這樣黑暗之下，所有一切，盡懾伏在死一般的寂滅裡，只有風先生的慇懃、雨太太的好意，特別爲他倆合奏著進行曲。（賴和：前進）

⑹改革開放就是改革開放，不存在姓社姓資的問題，改革開放的目的是要完善具有中國特色的社會主義，如要分什麼姓社姓資，只會徒亂人心。（1992.01.02《中國時報》所刊鄧小平語）

⑺柳絲也垂垂地披下綠色的長髮了。（陳慧劍：弘一大師傳）

⑻太陽從灰色的雲隙間露出半個蒼白的面容。（胡品清：最後一曲圓舞）

⑼那支蠟燭挺神氣，修長的身體，穿著雪白的長衣；漿洗得那麼清潔，熨燙得多麼挺刮，一點縐褶也沒有。（季薇：燭花）

⑽既然散文妹妹的那根「辮子」應該剪掉，試問：小說哥哥的這堆「長髮」，是否也應該理掉呢？（關雲：漫談《家變》中的遣詞造句）

⑾小說若不能從「志怪」發展成「志人」，便永遠無法壯闊其生命。（孟瑤：中國小說史）

2. 代名詞法

⑴嗟爾幼志，有以異兮！獨立不遷，豈不可喜兮！（屈原：橘頌）

案：用代名詞「爾」將橘樹擬人化。又如：

⑵鳳姐兒……指著賈母素日放錢的一個木箱子，笑道：「……這一吊錢，頑不了半個時辰，那裡頭的錢就招手兒叫他了。只等把這一吊錢也叫進去了。牌也不用鬥了，老祖宗氣也平了，又有正經事差我辦去了。」（紅樓夢・第四十七回）

案：用代名詞「他」將「這一吊錢」人性化。

⑶我大清早起，

站在人家屋角上，

呀呀的啼。（胡適：老鴉）

案：代名詞「我」使「老鴉」人性化。

(4)愛晚亭，我真太愧對你了！（謝冰瑩：愛晚亭）

案：「你」使「愛晚亭」人性化了。不過這種人性化和「呼告」連在一起，通常是把它歸入「呼告」的修辭格中。

(5)但我覺得像楊花，格外確切些。輕風起時，點點隨風飄散，那更是楊花了。——這時偶然有幾點送入我們溫暖的懷裡，便倏的鑽了進去，再也尋她不著。（朱自清：綠）

案：代名詞「她」使「綠水」人性化了。

(6)請你暫充畫幅的框子吧，

讓藍天鑲上新月，

全宇宙只有寒梅未醒，

她對著月光嘆息。（徐訏：對窗吟）

案：用「你」稱窗子；用「她」稱寒梅。

(7)我們是一列樹，立在城市的飛塵裡。（張曉風：行道樹）

案：「我們」使「行道樹」人性化。

(8)那些白色的精靈們

他們爲山峯織了一冬天的絨帽子。（瘂弦：春日）

案：「他們」指「白色的精靈」——雪。

3. 動詞法

⑴江漢朝宗於海。（尚書・禹貢）

案：動詞「朝宗」使「江漢」與「海」人性化。又如：

⑵去年今日此門中，人面桃花相映紅。人面不知何處去，桃花依舊笑春風。（崔護：題都城南莊）

案：動詞「笑」使「桃花」人性化。又王之渙〈出塞〉：「羌笛何須怨楊柳，春風不度玉門關！」「怨」字手法同此。

⑶草的和暖的顏色，自然的喚起你童稚的活潑。（徐志摩：翡冷翠山居閒話）

案：由動詞「喚起」使「顏色」人性化了。

*以下各例，請自行分析。

⑷桃花聽得入神，禁不住落了幾點粉淚，一片片凝在地上。（許地山：春的林野）

⑸正義被綁著示衆，真理被蒙上眼睛。（艾青：在浪尖上）

⑹夜雨在你簾下留戀，
殘秋在你衣袖裡嘆息。（徐訏：似聞簫聲）

⑺這樣大的一所房子，樓下是鋼琴、電視、宮燈、壁爐、雕花的大收音機，厚絨的沙發，沉重的桌椅，點綴得典雅而大方，每件東西都在訴說它們的過去的光榮，與而今的蕭瑟。（陳之藩：在春風裡）

⑻我們沒有理由把「篇章的結構」從文法的領域中驅逐出

境！（黃貴放：國語文法圖解前言）

⑼春，踏著芭蕾舞女的碎步，潛入了我的廳堂。（胡品清：最後一曲圓舞）

⑽有時候，海上風起，一片藍色的波濤在舞蹈，船帆敧斜，白雲起飛。天空、浮雲、大海合演一齣壯麗的戲劇。（張秀亞：牧羊女）

⑾已經是九點多鐘了，還有好多紅頂白牆的漂亮樓房，賴在深邃的榆蔭裡不出來曬太陽。（余光中：南太基）

⑿右面就是浩然的密西根湖，……如今它躺在嚴寒裡，僵硬得連一絲波紋都沒有。（於梨華：變）

⒀宜蘭這小城，以淒涼而帶有苦味的雨迎接我。（楊喚：詩的歷程）

⒁讓星光把我擊出回聲
奏響窗外的數峯青葱（張健：畫中的霧季）

⒂我常常揣度著出現小街的來者，而夜又往往在我不想去數一城蠱惑的燈火間響起腳步。（蕭白：六月・夜之獨步）

⒃最先觸目的是藍淨的天空，藍淨到幾乎雲都捨不得踏過的天空。（鍾玲：赤足在草地上）

⒄頭頂上有一棵不知名的樹，葉子不多，卻都很青翠，太陽的影像從樹葉的微隙中篩下來。暖風過處，滿地圓圓的日影都欣然起舞。（張曉風：晝晴）

⒅道路兩旁的棕櫚弱不禁風，曲折的倒影蜿蜿蜒蜒寫著我的心情。（陳芳明：飛幡）

4.形容詞法

⑴顛狂柳絮隨風舞，輕薄桃花逐水流。（杜甫：絕句漫興）

案：「顛狂」、「輕薄」使「柳絮」、「桃花」人性化。又如：

⑵算只有慇懃，畫檐蛛網，盡日惹飛絮。（辛棄疾：摸魚兒）

案：「慇懃」本是對人的形容詞，此處將「蛛網」人性化。

⑶漫遊的雲從這峯飛過那峯，有時稍停一會兒，爲的是擋住太陽，教地面的花草在他的蔭下避避光燄的威嚇。（許地山：春的林野）

案：形容詞「漫遊的」三字使「雲」人性化了。

*以下各例，讀者試自行分析。

⑷「這一品鍋裡的物件，都有徽號，你知道不知道？」老殘說：「不知道。」他便用筷子指著說：「這叫怒髮衝冠的魚翅，這叫百折不回的海參，這叫年高有德的雞，這叫酒色過度的鴨子，這叫恃強拒捕的肘子，這叫臣心如冰的湯。」說著，彼此大笑了一回。（劉鶚：老殘遊記）

⑸嫵媚的康河也望不見蹤跡，你只能循著錦帶似的林木想像一流清淺。（徐志摩：我所知道的康橋）

⑹好像一株被毒日渴得半枯的樹，忽然接受了一陣甘霖的潤澤，垂頭喪氣的枝葉又回過氣兒來了。（蘇雪林：綠

天・島居漫興）

⑺這一列清貧的火車穿過山洞，經過綠野，在一片秋光裡慢慢停下來。（陳之藩：劍河倒影）

⑻山這麼年輕，水這麼年輕，這麼多年輕人陶醉在山水的懷抱裡。（王熙元：再遊鸕鶿潭）

⑼雨好寂寞，這個世界好寂寞。（桑品載：寂寞雨）

⑽在看不見的枝椏間，有一隻淘氣的鳥兒在叫。（張曉風：愁鄉石）

⑾我將拉開窗幃，趁這雨後初晴，我要欣賞一個多星的夜，請甜蜜的星光再爲我重訴一個忘了的神話吧。（黃錦堂：雨）

⑿悲哀的霧，
覆蓋著補釘般錯落的屋頂。（北島：結局或開始）

5. 副詞法

⑴春雨入時，草木怒生。（莊子：外物）

案：用副詞「怒」使「草木」人性化。又如：

⑵但屈指西風幾時來，又不道，流年暗中偷換。（蘇軾：洞仙歌）

案：用副詞「偷」將「流年」人性化。

⑶一條清澈的小溪蜿蜒著自山坡流下，在細雨的日子裡，終日伴著山上竹林哀怨的調子，竊竊私語地經過我的窗前。（逯耀東：初來的時候）

案：副詞「竊竊私語地」把「小溪」和「竹林」人性

化了。

＊以下各例，讀者試自行分析。

⑷在這萬山環抱的桃林中，除了那班愛鬧的孩子以外，萬物把春光領略得心眼都迷濛了。（許地山：春的林野）

⑸石碑立在山坡上，無限哀怨地凝視著路過的行人。（蔣夢麟：西潮）

⑹一個幽冷的冬夜，寒月的銀輝偷偷地爬入窗檻，灑滿魚鱗般的碎影。（王聿均：人生寄語・銀夢）

⑺當我走到園子裡的時候，卻赫然看見那百多株杜鵑花，一毬堆著一毬，一片捲起一片，全部爆放開了。好像一腔按捺不住的鮮血，猛地噴了出來，灑得一園子斑斑點點都是血紅血紅的。我從沒有看見杜鵑花開得那樣放肆，那樣憤怒過。（白先勇：那片血一般紅的杜鵑花）

⑻說著說著春來了，人們都由屋裡鑽出來嗅嗅空氣裏的暖意和陽光，第二天它就會狠狠地給你飄上一天雪花。（鍾玲：赤足在草地上）

⑼偶低頭，一隻尚未脫皮的蟬正笨拙的走向相思林。（張曉風：愁鄉石）

6.詞綴法

所謂「詞綴」，是指在詞裡附加在「詞根」（即詞的基本成分）前面、中間或後面的成分。在詞根前面的，如「阿姨」的「阿」，叫「前綴」；在中間的，如「酸不溜溜」的

「不」，叫「中綴」；在後面的，如「石頭」的「頭」，叫「後綴」。有些前綴略帶人性化的意味，如「阿貓阿狗」的「阿」；又「老林」、「老兄」的「老」，常是表示親暱的前綴，類化而有「老天」，王實甫《西廂記》就有「老天不管人憔悴」之句，把詞根「天」人性化了。至於利用後綴人性化的，則有「們」。通常用在人稱或人稱代名詞之後。但：

⑴Ade，我的蟋蟀們！Ade，我的覆盆子們和木蓮們！（魯迅：從白草園到三味書屋）

案：用後綴「們」使詞根「蟋蟀」、「覆盆子」、「木蓮」人性化。Ade，德語「再見」的意思。

⑵雁子們也不在遼敻的秋空
寫牠們美麗的十四行了（瘂弦：秋歌）

7.綜合用法

⑴絲桐感人情，爲我發悲音。（王粲：七哀）

案：動詞「感」、介詞「爲」使「絲桐」人性化；又形容詞「悲」使「音」人性化。

⑵數峯清苦，商略黃昏雨。（姜夔：點絳脣）

案：形容詞「清苦」作「數峯」的表語，使「數峯」人性化；動詞「商略」更使「數峯」與「黃昏雨」都人性化。

⑶不久這火球終於從波濤中掙扎出來，它憤怒地一躍而出。（謝冰瑩：海上黎明）

案：用動詞「掙扎」和副詞「憤怒地」使「火球」人

性化了。

＊以下各例，讀者試自行分析。

(4)月亮在昏黃裡上粧，
太陽心慌地向天邊跑。（徐志摩：車眺）

(5)爬在榆幹上的薜荔，也大爲喜悅，上面沒有遮蔽，可以酣飲風霜了；他臉兒醉得楓葉般紅，陶然自足，不管垂老破家的榆樹在他頭上慨欷地悲嘆。（蘇雪林：禿的梧桐）

(6)還有那裡的喜鵲專報平安，
燕子的愛情繫繞著舊樑，
岸堤上都有柳絲的纏綿，
長春籐留戀著半圮的紅牆。（徐訏：安詳地睡）

(7)塘的中央有一朵白蓮，仰著聖潔的玉頸，亭亭獨立，皎美的容顏素如霜雪，比紅蓮更具一種清冷的神韻。（呂大明：聽雨小蓮塘）

(8)樹的愛情是忠實的，
她不能離開泥土和鄉村；
雷的生活是懶散的，
只知道悠閒的散步，愉快的旅行。（楊喚：載重）

(9)我每天讀那條江如讀一厚册哲理，同時我讀你如讀那條江。我拼命探索你說過的每一句話，詮釋你的每一個表情，審問你的細微的動作所揚動的灰塵，重數你臨風昂首時的頭髮，溫習你微笑時眼中閃耀的光線。我想像你

的一生。一如那條江，我相信你是統一的。可是讀江不易，讀你更難。（王聿均：讀江）

⑽大地的脈搏在跳動，把血液引入大樹的導管裡，小草的毛細管裡，葉子在呼吸，花蕾在餐霞吐露，遠山和近樹遂浮起了晴嵐。（陳曉薔：萬籟）

⑾花氈的底端襯的是柔嫩的草，它們歷經冬天冰雹的突襲，正猖狂的朝遠方滋蔓，綠野上星羅棋佈的散著綺麗的春梅，枝椏在輕風裡顫抖。（歐陽承新：五月劍河）

⑿雲是有腳的，它們漫山地跑著，我愛看它們成羣地向綠色山嶺輕逸地舞上去。（鍾玲：赤足在草地上）

⒀在羅曼蒂克的夏天，每當冰雪一融化，就有無數小花搶先著開放。（梅濟民：長白山之夏）

⒁來自海上的雲說海的沉默太深，
來自海上的風說海的笑聲太遼闊。（鄭愁予：山外書）

⒂當春風輕伸纖細的手，揭開那一層沉重的冬之絨幕，春的腳步乃悄悄而來，邁過叢林、山谷、原野、溪流，予大地覆蓋一床新的翡翠綠的棉被，於是百鳥乃有齊唱之奏鳴曲，百花乃有絢麗的彩姿之舞。（孟浪：孤獨城的獨白）

⒃當太陽從地平線上剛探出頭來，總不忘帶給草原一地閃亮的珠寶。而當太陽趕著牛羊回家的時候，又習慣性的留下一點神秘給人們去感受。（旻黎：北大荒）

⒄故鄉也需要休息。當夜幕垂下的時候，讓故鄉躺在草地與草堆上休息吧！讓她用紅綢似的晚霞和金子般的月光

揩乾一天流下的熱汗吧！（劉再復：故鄉也需要休息）

⒅樹林傳來揉葉子的聲音，那是秋天的手指。陽光把牆壁刷暖和了，夜把它吹涼。（簡媜：下午茶）

㈡物性化——擬人爲物

1. 名詞法

⑴丈夫生世會幾時，安能蹀躞垂羽翼。（鮑照：擬行路難）

案：不言「垂頭」，而言「垂羽翼」，是「羽翼」一詞使「丈夫」物性化。

⑵求食搖尾，見吏垂頭。（張說：獄箴）

案：人有頭有手，可以搖頭搖手；但人無尾，說「搖尾」，把獄囚轉化爲犬了。

⑶尹雪豔有她自己的旋律。尹雪豔有她自己的拍子。絕不因外界的遷異，影響到她的均衡。（白先勇：永遠的尹雪豔）

⑷滑落於你眸子之深淵，
迷失於你髮茨之莽林。（胡品清：深淵・莽林）

⑸在這分秒必爭的年代中，除非你能善意地把你的品質和包裝展示給你的對方，讓他能儘快地在你身上做個評斷：「沽乎不沽？」要不然很可能飲憾終生。（林建山：自我推銷的時代）

⑹不知道有誰在撕毀著我的翅膀，使我不能飛揚。（楊喚詩簡集）

⑺心靈的雨季再也不會來。（旻黎：感情的花朵）

2. 動詞法

⑴南風知我意，吹夢到西洲。（樂府古辭：西洲曲）

案：「南風」能「知我意」，是人性化；「夢」能被「南風」「吹」「到西洲」，卻是物性化。簡言之：「吹」這個動詞使人的「夢」物性化了。

⑵剪不斷，理還亂，是離愁。（李煜：相見歡）

案：「離愁」是人的情緒，用動詞「剪」、「理」便將它物性化了。

⑶把我們向來粗浮的腦筋，著實磨鍊它。（梁啓超：爲學與作人）

⑷我到了自家的房外，我的母親早已迎著出來了，接著便飛出了八歲的姪兒宏兒。（魯迅：故鄉）

⑸秋風和秋雨打碎了你的睡夢；迷茫和惆悵的網，卻織滿了你的心胸。（徐志摩：仄徑）

⑹天天在心裡建起七寶樓臺，天天又看到前天架起的燦爛的建築物消失在雲霧裡，化作命運的獰笑。（梁遇春：破曉）

⑺誰知那一句閒談在腦海中迸出智慧的火花？又誰知那一個故事在心海中掀起滔天的風浪？（陳之藩：劍河倒影）

⑻在這樸素的毛織物裡，編織著我終生難忘的故事。（張秀亞：牧羊女）

⑼於是所有的魚郎都失戀了，網仍在他們手裡，但網不住柔情一般的水，水一般的柔情。（王鼎鈞：夏歌）

⑽陸正明使勁地把頭搖了兩下，搖落那些傷心回憶。（於梨華：也是秋天）

⑾踩碎寂寞的往往是一列自己的足音。（蕭白：雨季）

⑿原來可以自由連接、任意變化的詞句，逐漸流入一條條既成的軌跡，凝固成狹窄有限而缺乏新鮮想像的陳句。（黃永武：反常合道與詩趣）

⒀即使當時你胸中摺疊著一千丈的愁煩，及至你站在瀑布面前也會一瀉而盡了。（張曉風：到山中去）

⒁對於遙遠不可期的未來，我很恐懼，我怕愛情會用完，會變淡。（蘇玄玄：天鵝）

⒂把忍耐種植在心田，其根雖苦，其果卻甜。（善鎮：忍耐）

⒃在非洲或在西班牙
我埋掉自己的故事
埋掉一條屬於中國的河（周鼎：戀大山）

⒄你必然驚異，昔日的遊伴，將十年的冷漠，在你家的門環下搖落（林泠：造訪）

⒅披滿身的寂寞，挑一肩的痛苦，再向空茫的人生捕捉些夢的歲月。（孟浪：孤獨城的獨白）

⒆那條街上所有人的微笑，都貼在我們的背影上。（閻純德：謝鐸山之春）

⒇青番公的喜悅，漂浮在六月金黃的穗浪中。（黃春明：青番公的故事）

3. 形容詞法

⑴春心莫共花爭發，一寸相思一寸灰。（李商隱：無題）

案：數量形容詞「一寸」使人的「相思」物性化。

⑵休問離愁輕重，向個馬兒馱也馱不動。（董解元：西廂記）

案：形容詞「輕重」使人的「離愁」物性化。

⑶日子一久，仲達和孩子們都知道了在黃昏時她的「黑色情緒」。仲達每天過了黃昏才回來，而孩子們也在這段時間內走得遠遠的。（於梨華：變）

案：形容詞「黑色」使「情緒」物性化了。以下各例，讀者試自行分析。

⑷不是失眠，

我是在透明的夢裡醒著。（楊喚：島上夜）

⑸這時，我乍見窗外

有客騎驢自長安來

背了一布袋的

駭人的意象

人未至，冰雹般的詩句

已挾冷雨而降（洛夫：與李賀共飲）

⑹6. 童大經理，你這一籮筐話是頂真說的呢？還是鬧著玩的？（白先勇：金大班的最後一夜）

⑺我老覺得我們的小屋快要炸了，快要被澎湃的愛情和友誼撐破了。（張曉風：地毯的那一端）

⑻廉價的頌辭和蒼白的樂觀主義已經絕跡，而代之以現實

生活的切實和恰如其分的謳歌。（謝冕：面對一個新世界——一批青年詩人作品讀後）

4.綜合用法

⑴楊花落盡子規啼，聞道龍標過五溪。我寄愁心與明月，隨風直到夜郎西。（李白：聞王昌齡左遷龍標遙有此寄）

案：「愁心」屬人，動詞「寄」、介詞賓語「與明月」及「隨風」、副詞「直」、動詞「到」使之物性化。

⑵重門不鎖相思夢，隨意繞天涯。（趙令畤：錦堂春）

案：「相思夢」屬人，上面動詞「鎖」、下面述賓結構「繞天涯」使其物性化。

⑶她的記憶之門，終於開了一條縫，有光亮照進去了。（斷夢）

案：名詞「門」、動詞「開」使「記憶」物性化了。

*以下各例，讀者自行分析。

⑷請你用友情做一枚銀色的封筒，
把鈴子一樣的笑聲盛入，
寄回給我。（楊喚：給阿品）

⑸記憶的閣樓裡昇起了不少小時候祖母把葡萄供月神，然後又讓我們分啖的日子。（胡品清：水仙的獨白）

⑹一層層的不安覆蓋著她，這激盪的心靈的小河，此時奔騰起來了，一起在過去的時日裡波動的浪花，再度緩緩

地揚起。（季季：泥人與狗）

⑺透過荔枝樹林，我望著遠遠的田野，那兒正有農民立在水田裡，辛勤地分秧插秧。他們正用勞力建設自己的生活，實際也是在釀蜜——爲自己，爲別人，也爲後世子孫釀造著生活的蜜。（楊朔：荔枝蜜）

㈢形象化——擬虛爲實

1.擬人爲人

⑴出門萬里客，中道逢嘉友。未言心先醉，不在接杯酒。（陶淵明：擬古九首之一）

案：「心」是人的內在心思，「醉」是人的外在表徵，「醉」使人的內在心思在外表呈現，形象化了。

⑵人間無路到仙家，但憑魂夢訪天涯。（張泌：浣溪沙）

案：「魂夢」是人的心靈活動，屬抽象。而「訪」是人的具體行爲，此字使「魂夢」形象化了。

⑶你的嘆息，
應該被快樂絞殺，
面對著明天歌唱。（楊喚：短章一）

案：「嘆息」和「快樂」是人的情緒活動，而動詞「絞殺」使它們形象化。

*以下各例，讀者試自行分析。

⑷我自亂花地上醒轉，蹂躪酒後大宇宙的鄉愁。（葉珊：水之湄）

⑸小手臥在父親煖和的大手裡。（王文興：家變）
⑹那沉鬱，似風，默默的死亡！（翱翔：第三季·那沉鬱，似風，默默的死亡！）
⑺我也曾佇立水榭，遙望一葉輕舟，浮漾於廣邈無際的水面，輕舟上彷彿載滿了詩和夢想。（呂大明：心箋一束）
⑻我睡著，鎖滿心的渴望於我的體內。（方思：春醒）
⑼懷鄉病極莊嚴地躺在那片草上。（余中生：在秋的雙翼上）
⑽浮人，希望我遲來的祝福能趕得上你凌亂的腳步。（臺大人的十字架）
⑾我讀過希望的意義，所以等待，你的名字不是焦急；我讀過愛情的意義，所以生命，你的名字不是空虛。
⑿你好！哀愁，又在那裡把我守候。（阿城：你好！哀愁）
⒀於是，我熱戀創作。啊！不是我在寫，是那些思想的精靈永無休止地衝撞我的腦門，它們向我要求更寬闊的天空，它們嚮往生之飛揚跋扈。（簡媜：月碑）

2.擬物爲物

⑴詩情也似并刀快，剪得秋光入卷來。（陸游：秋思）

案：全句可視爲譬喻中的詳喻。本體「詩情」，喻詞「也似」，喻體「并刀快」，喻旨「剪得秋光入卷來」。但「秋光」是抽象之物，用「剪」字將它形象化了。

⑵舞榭歌臺，風流總被雨打風吹去。（辛棄疾：永遇樂・序北府事）

案：「風流」指「舞榭歌臺」之舊事，是抽象的，在此用「雨打風吹去」將它形象化了。

⑶我們的日子，滴在時間的流裡，沒有聲音，也沒有影子。（朱自清：匆匆）

案：「日子」能「滴」，「時間」成「流」，都是擬物爲物，形象鮮明凸顯。

⑷這樣才可以用一枝畫筆攝取湖光的滉漾，樹影的參差，和捕捉朝暉夕陰。（蘇雪林：綠天・島居漫興）

案：「畫筆」只能描繪，此句用「攝取」把「畫筆」比擬成照相機，使繪畫更具真實性了。

⑸日月逝於上，體貌衰於下，在時光的魔杖下，這小小的悲劇，我們之中誰又能避免呢？（張秀亞：人魚）

⑹那就折一張闊些的荷葉

包一片月光回去

回去夾在唐詩裡

扁扁地，像壓過的相思（余光中：滿月下）

⑺離開了師院，到國語日報擔任編輯古今文選的工作，整天鑽在舊書堆裡，飽飫了古典文學的芬芳。（方祖燊：「散文結構」小序）

⑻聽列車載著夜

向金色的黎明。（楊喚：島上夜）

⑼我們仍固執地製造不被珍惜的清新。（張曉風：行道樹）

⑽那日，一個清涼得沁人心肺的夏日黃昏，我和兩位中國同學到湖上釣魚，魚是一條也沒有上鈎，我卻網住了一輪溶溶的落日。（鍾玲：夢斗塔湖畔）

⑾且莫問日落幾株樹
雁鳴那家秋
總歸是你我揮刀鞘作戰，踞守現代
好不慘然（菩提：大悲咒）

⑿立即，窗外撒進一窗淡淡的下弦月，夜是很美的。（姜穆：柯藍溪）

⒀像某些短命的花屍會每天飄落一樣，黃昏也飄落了。（季季：屬於十七歲的）

⒁握一手濃綠，披一髮細雨，攏一眼迷濛，鐫一季心契。（劉玉華：新鮮人）

㈣轉化的綜合法

⑴無言獨上西樓，月如鈎。寂寞梧桐，深院鎖清秋。（李煜：相見歡）

案：形容詞「寂寞」使「梧桐」人性化；動詞「鎖」使「清秋」形象化。有些學者把前者視爲「移就」，把後者視爲「拈連」，見解甚好，只是分得太瑣細了。

⑵天外的雲彩爲你們織造快樂。（徐志摩：拜獻）

案：「雲彩」被人性化；「快樂」被物性化。

＊以下各例，讀者試自行分析。

(3)你一個人漫遊的時候，你就會在青草裡坐地仰臥，甚至有時打滾，因爲草的和暖的顏色，自然地喚起你童稚的活潑；在靜僻的道上，你就會不自主的狂舞，看著你自己的身影幻出種種詭異的變相，因爲道旁樹木的陰影在他們于徐的婆娑裡暗示你舞蹈的快樂；你也要得信口的歌唱，偶爾記起斷片的音調，與你自由隨口的小曲，因爲樹林中的鶯燕告訴你春光是應得讚美的；更不必說你的胸膛自然會跟著漫天的山徑開拓，你的心地會看著澄藍的天空靜定，你的思想和著山壑間的水聲，山罅裡的泉響，有時一澄到底的清澈，有時激起成章的波動，流，流，流入涼爽的橄欖林中，流入嫵媚的阿諾河去………（徐志摩：翡冷翠山居閒話）

(4)雙翅一翻，

把斜陽掉在江上，

頭白的蘆葦，

也妝成一瞬的紅顏了。（劉大白：秋晚的江上）

(5)棄婦的隱憂堆積在動作上，

夕陽之火不能把時間之煩悶

化作灰燼。（李金髮：棄婦）

(6)帶三分醉意七分豪情，快速地奔下賓館前的臺階。跫音像突起的高調，驚擾了梨山的酣夢，我不覺放慢了腳

步，而多情的山霧卻化作無形的網，徹頭徹尾地把我罩住了。（何宗坤：五日遊）

(7)繼母嘴不停歇地說著，眼裡也滾著眼淚。風在颳著，開得一片白花花的菅草起著一道道騷動的波浪，風聲颯颯。大崙崁的流水嗚咽地應和著。（鍾肇政：大崙崁的嗚咽）

(8)那時古城已淪陷了三年，荒冷得像是埋葬在地下的龐培城，芳草上有異邦人在牧馬，櫻花在揶揄著千年古柏，故都日暮，半天燃著了一片鬱紫的晚霞，成羣的昏鴉，圍著淒涼的老樹哀鳴，似是喚著睡去了的國魂，那聲音是如此的淒咽。（張秀亞：牧羊女）

(9)昨天，曇。關起靈魂的窄門，
夜宴席勒的强盜，尼采的超人。
今天，晴。擦亮照相機的眼睛，
拍攝梵・谷訶的向日葵，羅丹的春。（楊喚：日記）

(10)我們就在這裡殺死，
殺死整個下午的蒼白。（瘂弦：酒吧的午後）

(11)我們蹲下來
天空與山也蹲下來
看我們用石片
對準海平面
削去半個世紀
一座五十層高的歲月
倒在遠去的炮聲裡沉下去（羅門：漂水花）

⑿風的手指撩撥蘆葦的琴鍵，雨的唇吻撫弄林葉的管絃，吹奏起烏雲片片，也吹奏起繁星點點。（王聿均：人生寄語・獻詩）

⒀遠處的風景向兩側閃避，近處的風景，躲不及的，反向擋風玻璃迎面潑過來，濺你一臉的草香和綠。（余光中：咦呵西部）

⒁如果我有一根釣竿，我就釣那些花，我就釣那些水中的雲影，我就釣那些失去了的閒情。（張曉風：愁鄉石）

⒂露珠在竹葉尖上墮下淚，陽光在灑著金色的噴泉，還有白雲慵懶的舒捲，落花輕輕地嘆息，都隨著微風的節拍，徐疾，抑揚。（陳曉薔：萬籟）

三、原則

轉化跟譬喻有些相似，都由兩件不同的事物間求取修辭的法則。從性質方面來看，譬喻就本體和喻體間的相似點著筆，用喻體來譬方說明本體，是觀念內容的修飾；轉化就兩件不同事物的可變處著筆，將甲事物獨有的稱謂、動作、性態等，用來描繪乙事物，是觀念形態的改變。試比較下面各句：

眉黛有如萱草色，
裙紅好似石榴花。

——就眉黛根萱草色，以及裙紅根石榴花間的相似點著筆，為譬喻。

眉黛奪將萱草色，
裙紅妒煞石榴花。

——就眉黛跟人以及裙紅跟人的可變處著筆，化物爲人，是轉化中的人性化。

愛情就像鳥兒飛走了。

——就愛情飛走與鳥兒飛走間的相似點著筆，爲譬喻。

愛情飛走了。

——就愛情與鳥的可變處著筆，爲轉化中的物性化。

臺中的陽光像盛開的花朵。

——就陽光跟花朵間的相似處著筆，爲譬喻。

讓我獻給你一兜兜一束束臺中的陽光。

——就陽光及一切可兜可束之物間的可變處著筆，爲轉化中的形象化。

從形式方面來看，譬喻的喻體一定會在語言文字中出現；但轉化被轉用來描繪乙事物的甲事物卻不會在語言文字中出現。再比較下列句子：

你不妨搖曳著一頭的蓬草，不妨縱容你滿腮的苔蘚。（徐志摩：翡冷翠山居閒話）

——「蓬草」指「像蓬草一樣的頭髮」，「苔蘚」指「像苔蘚一樣的鬍鬚」，都是只存「喻體」的「借喻」，不是「轉化」。

她，那銀白色水潭泛濫了，串串銀色水珠，竽竽滾落地上。（李喬：桃花眼）

——「銀白色水潭泛濫了」譬喻「眼中滿含淚水」；「串串銀色水珠」譬喻「串串淚珠」。但譬喻的「本體」省略了；「喻體」卻必須在語言文字中出現。所以是「借喻」不是「轉化」。

你？有了本事啦！你尾巴翹上了天！（張天民：路考）

——「尾巴翹」是貓狗之類動物神氣時的動作，拿來描繪「人」神氣的樣子，是「轉化」中的「物性化」，但「狗貓」之物卻不在文字語言中出現。

由於轉化與譬喻的基礎，同是建立在兩件不同事物之上，所以譬喻的原則，如消極的：「不可太類似」「不可太粗鄙」「不可太離奇」和「避免牽强的類比」；積極的：「必須是熟悉的」「必須是具體的」「必須富於聯想」「必須切合情境」「本體和喻體在本質上必須不同」「必須是新穎的」，幾乎都可以移作轉化的原則。

下面，再談談各種轉化的個別原則。

㈠人性化的原則

人性化是訴諸人類情感的修辭法。其基礎是建立在「移情作用」上。

朱光潛在《文藝心理學》第三章中論「移情作用」說：

> 移情作用有人稱為「擬人作用」（Anthropomorphism）。拿我做測人的標準，拿人做測物的標準，一切知識經驗都可以說是如此得來的。把人的生命移注於外物，於是本來只有物理的東西可具人情，本來無生氣的東西可有生氣，所以法國心理學家德臘庫瓦教授（H.Delacroix）把移情作用稱為「宇宙的生命化」（Animation de I'univers）。從理智觀點看，移情作用是一種錯覺，是一種迷信。但是如果沒有它，世界便如一塊頑石，人也只是一套死板的機器，人生便無所謂情趣，不特藝術難產生，即宗教亦無由出現了。詩人、藝術家和狂熱的宗教信徒大半都憑移情作用替宇宙造出

一個靈魂，把人和自然的隔閡打破，把人和神的距離縮小。

把移情作用的意義及功用說得很清楚。初民們相信「風伯」「雷公」「電母」；小孩子跌倒了，用手拍地以出氣，認爲風雷電地都是有生命的，便是把自己的生命投射到外物的緣故。文學作品依據移情作用，而有「人性化」的修辭法。除遵照上文所說「消極」「積極」等等大原則外，還必須把握以下兩個原則：

㈠儘可能創造一個親切的世界。

試以徐志摩〈再別康橋〉詩爲例，說明於下：

〈再別康橋〉，一開始就是「輕輕的我走了，正如我輕輕的來；」此代表始終如一的不忍干擾天地的愛心。接下是「我輕輕的招手，作別西天的雲彩。」這是「轉化」格中的「人性化」。在作者的意識形態裡，並不把「雲彩」當作「異類」，他是與我交好的朋友。就像宋儒張載在〈西銘〉中所說的：「民，吾同胞；物，吾與也。」由於這種意念，作者不爲「人」、「物」嚴立界線，所以第二章會說：「那河畔的金柳，是夕陽中的新娘；」而吾心即物理，物理即吾心。是故「波光裡的艷影」，亦能「在我的心頭蕩漾」，形成此心物交融，內外混同的境界。第三章：「在康河的柔波裡，我甘心做一條水草！」爲作者與自然混同的決心；第四章：「是天上虹，揉碎在浮藻間，沉澱著彩虹似的夢。」爲作者與自然交融的極致。誰還有比這更美麗的夢呢？第五章：「向青草更青處漫溯」，漫溯，顯示出忘機與無心；「在星輝斑斕裡放歌」，又別是一番天人交通的歡喜氣象。於是乎，我心動處，天地萬物亦動；我心靜時，天地萬物亦靜。自然體驗出「悄悄是別離的笙簫」，而「夏蟲也爲我沉默」了！從人性化的「作別西天的雲彩」始，到人性化的「夏蟲也爲我沉默」，徐志摩創造了一個與天地萬物相參爲一的親切的世界。

㈡儘可能創造一個生動的世界。

俄國人、童話作家愛羅先珂（B.R. Epourehko, 1889～1952）的《童話集》魯迅譯的，中有〈魚的悲哀〉一篇，文中有如下一段：

> 那春天實在很愉快。從早晨起，黃鶯和杜鵑這些音樂高強的先生們便獨唱，蜜蜂小姐們和胡蜂姑娘們是合唱，胡蝶的姐兒們是舞蹈，到晚上，青蛙堂兄的詩人們便開詩社，開演說會，一直熱鬧到深夜。這些集會裡，鯽魚也到場，用了可愛的口吻，去談那個國土的事。

在這段文字裡，黃鶯、杜鵑、蜜蜂、胡蜂、胡蝶、青蛙、鯽魚，全人性化了。唱歌的唱歌，舞蹈的舞蹈，演說的演說，創造了一個生動的世界。

㈡物性化的原則

物性化是訴諸人類想像的修辭法。其基礎建立在「聯想作用」上。

姚一葦在《藝術之奧秘》第二章〈論想像〉中介紹柯立芝（Samuel Taylor Coleridge）的理論說：

> 柯氏的觀念中想像力具有複雜的意義：第一為自我合成的能力，亦即合成事物的能力與變成其他任何事物的能力，或一種連接的能力。第二為自我變化的能力，想像乃其自身的具體化的能力，一如海神（Proteus）之具有自我變化之才能。「可以變成任何事物，而仍然是他自己，成為可變的神，可在水中，獅子與火焰中感到。」第三為化可能為真實之能力。想像可以把可能化為真實，把本質化為存在。

對「想像」的意義及想像力的組成，有透徹的分析。

人類雖然是「萬物之靈」；但是，人類仍是不以自己爲「萬物之靈」而自足。形骸的蔽固，生命的局限，氣稟的拘束，環境的制約，常使我們要求突破這些既存的拘蔽與限制，創造生命永恆的再生。於是，轉化中的物性化又有二條重要的原則：

㈠儘可能顯現一個自由的人生。

這是就人類要求突破既存的拘蔽與限制而說的。例如《紅樓夢》第五十七回中，賈寶玉希望：

> 這會子立刻我死了，把心拿出來你們瞧；瞧見了，然後連皮帶骨一概都化成灰；灰還有形跡，不如再化一股煙；煙還有凝聚，人還看的見；須得一陣大風吹的四面八方都登時散了，這纔好。

法國女小說家喬治桑（George Sand）在她的《印象和回憶》裡說：

> 我有時逃開自我，儼然變成一棵植物，我覺得自己是草，是飛鳥，是樹頂，是雲，是流水，是天地相接的那一條橫線，覺得自己是這種顏色或是那種形體，瞬息萬變，去來無礙。我時而走，時而飛，時而潛，時而吸露。我向著太陽開花，或棲在葉背安眠。天鷚飛舉時我也飛舉，蜥蜴跳躍時我也跳躍，螢火和星光閃耀時我也閃耀。總而言之，我所棲息的天地彷彿全是由我自己伸張出來的。

原來賈寶玉、喬治桑，追求的都是一個絕對自由的，完全隨心所欲的，綜合幻想與理想的想像中的人生。而修辭上的物性化正根據這種理想，也滿足了這種想像。

㈡儘可能顯現一個權威的人生。

這是就人類要求創造生命永恆的再生而說的。我國古籍中，有許多變形神話的記載，如《山海經．海内經》末節之所記。

洪水滔天，鯀竊帝之息壤以堙洪水，不待帝命；帝令祝融殺鯀於羽郊。鯀復生禹，帝乃命禹卒布土，以定九州。

注引《歸藏．啓筮》：

鯀死，三歲不腐，剖之以吳刀，化為黃龍，是用出禹。

《楚辭．天問》洪興祖補註引《山海經圖》云：

犁丘山有應龍者，龍之有翼也。……夏禹治水，有應龍以尾畫地，即水泉流通。

把這些資料綜合起來，原來是鯀治水未竟而被殺，化爲黃龍而生禹，禹用應龍以尾畫地，因而治水成功。代表一個受挫的生命，經過轉化，終於完成志業的動人故事。

再如《山海經．北三經》

發鳩之山，是炎帝之少女名曰女娃，女娃遊於東海，溺

> 而不返，故為精衛，常銜西山之木石以堙於東海。

《述異記》亦云：

> 昔炎帝女溺死東海，化為精衛，偶海燕而生子，生雌狀如精衛，生雄如海燕，今東海有精衛誓水處，曾溺此川，誓不飲其水，一名誓鳥，一名寃禽，又名志鳥。

這則變形神話，透露著人對自然永恆的反抗。
又如《搜神記》有：

> 宋康王舍人韓憑，娶妻何氏，美，康王奪之。憑怨，王囚之，論為城旦。妻密遺憑書，繆其辭曰：「其雨淫淫，河大水深，日出當心。」既而王得其書，以示左右，左右莫解其意。臣蘇賀對曰：「其雨淫淫，言愁且思也。河大水深，不得往來也。日出當心，心有死志也。」俄而憑乃自殺。其妻乃陰腐其衣。王與之登臺下，妻遂自投臺下，左右攬之，衣不中手而死。遺書於帶曰：「王利其生，妾利其死。願以屍骨，賜憑合葬。」王怒弗聽，使里人埋之，冢相望也。王曰：「爾夫婦相愛不已，若能使冢合，則吾弗阻也。」宿昔之間，便有大梓木生於二冢之端，旬日而大盈抱，屈體相就，根交於下，枝錯於上。又有鴛鴦雌雄各一，恆棲樹上，晨夕不去，交頸悲鳴，音聲感人。宋人哀之，遂號

> 其木曰「相思樹」。相思之名起於此也。南人謂此禽即韓憑夫婦之精魂。

韓憑夫婦化爲相思樹上的鴛鴦，「千年長交頸，歡慶不相忘。」成爲後世賦客詩人吟詠的對象。如嵇康、徐陵、庾信、陳子昂，都曾爲牠寫出感人的詩章。至於梁祝化蝶，「生不成雙死不分」的故事，膾炙人口，自無須多說了。韓憑和梁祝實已創造了生命永恆的再生。

㈢形象化的原則

形象化是訴諸人類官能的修辭法。其基礎建立在「形相直覺」上。

朱光潛在《文藝心理學》第一章論〈形相的直覺〉說：

> 無論是藝術或是自然，如果一件事物叫你覺得美，它一定能在你心眼中現出一種具體的境界，或是一幅新鮮的圖畫，而這種境界或圖畫必定在霎時中霸占住你的意識全部，使你聚精會神地觀賞它，領略它，以至於把它以外一切事物都暫時忘去。這種經驗就是形相的直覺，形象是直覺的對象，屬於物；直覺是心知物的活動，屬於我。

指出「在你心眼中現出一種具體的境界，或是一幅新鮮的圖畫」的，才是「美」。文學家依據這個道理從事創作，產生了形象化的修辭法。就必須注意下面二個原則：

㈠必須使抽象的人事物化爲具體。

試以席慕容詩〈試驗之一〉爲例：

他們說　在水中放進
一塊小小的明礬
就能沉澱出　所有的
渣滓

那麼　如果
如果在我們的心中放進
一首詩
是不是　也可以
沉澱所有的　昨日

「往事」本是很泛泛的，其中是、非，得、失，善、惡，美、醜，很難一一辨明。「昨日」使時間有個著落，「沉澱」更使往事如天光雲影，清晰呈現；而「一首詩」可「放進心中」，加以與明礬淨水作對比，於是詩之能靜、定、慧，意象便很具體了。

㈡必須使感覺器官產生鮮明印象。

沈尹默〈生機〉詩：

刮了兩日風，又下了幾陣雪。
山桃雖是開著卻凍壞了夾竹桃的葉。
地上的嫩紅芽，更殭了發不出。
人人說天氣這般冷，
草木的生機恐怕都被摧折；
誰知道那路旁的細柳條，
他們暗地裡卻一齊換了顏色！

詩裡有風之聲，有雪之冷，有新芽的嫩紅，有柳條才換的顏色。而原怕已被摧折的「生機」，就這樣鮮明地呈現：在耳，在膚，在眼！

紀念楊家駱教授九十冥誕論文發表會議程

<table>
<tr><td>時間</td><td>地點</td><td colspan="4">五月十二日（星期六）</td></tr>
<tr><td>08:00～08:20</td><td>國際會議廳</td><td colspan="4">報　到</td></tr>
<tr><td>場次</td><td>地點</td><td>活動</td><td>主持人</td><td>主講人</td><td>講　題</td></tr>
<tr><td rowspan="4">第一場
08:20～09:10</td><td rowspan="4">國際會議廳
509室</td><td rowspan="4">開幕</td><td rowspan="4">胡楚生</td><td>胡楚生</td><td>開幕詞</td></tr>
<tr><td>楊思永</td><td>父親頌</td></tr>
<tr><td>楊思成</td><td>回憶父親</td></tr>
<tr><td>楊思明</td><td>我的父親</td></tr>
<tr><td rowspan="5">第二場
09:10～10:30</td><td rowspan="5">國際會議廳
509室</td><td rowspan="5">報告</td><td rowspan="5">黃慶萱</td><td>任育才</td><td>楊家駱教授對唐史之貢獻</td></tr>
<tr><td>趙振績</td><td>楊家駱教授對遼史的貢獻</td></tr>
<tr><td>王德毅</td><td>楊家駱教授對宋代文獻整理的貢獻</td></tr>
<tr><td>胡楚生</td><td>楊家駱教授對於目錄學之貢獻</td></tr>
<tr><td>鄭喜夫</td><td>楊家駱教授對傳記學的貢獻</td></tr>
<tr><td>10:30～10:50</td><td>國際會議廳</td><td colspan="4">茶　敘</td></tr>
<tr><td rowspan="5">第三場
10:50～12:10</td><td rowspan="5">國際會議廳
509室</td><td rowspan="5">報告</td><td rowspan="5">趙振績</td><td>黃秀政</td><td>楊家駱教授對方志學的貢獻</td></tr>
<tr><td>鄭恆雄</td><td>楊家駱教授與參考工具書</td></tr>
<tr><td>廖吉郎</td><td>楊家駱教授的古籍輯存的貢獻</td></tr>
<tr><td>莊芳榮</td><td>楊家駱教授對叢書學之貢獻</td></tr>
<tr><td>顧力仁</td><td>楊家駱教授對永樂大典學術研究之貢獻</td></tr>
</table>

<table>
<tr><td>12:10～14:00</td><td>國際會議廳</td><td colspan="4">午　　餐</td></tr>
<tr><td rowspan="4">第四場
14:00～15:30</td><td rowspan="4">國際會議廳
509室</td><td rowspan="4">報告</td><td rowspan="4">莊芳榮</td><td>黃慶萱</td><td>楊家駱教授在文學創作方面的貢獻</td></tr>
<tr><td>傅武光</td><td>楊家駱教授對老子學的貢獻</td></tr>
<tr><td>莊嘉廷</td><td>文淵閣四庫全書菁(精)華書目初篇</td></tr>
<tr><td>金榮華</td><td>敦煌本《壇經》所述五祖六祖事蹟考辨</td></tr>
<tr><td>15:30～15:50</td><td>國際會議廳</td><td colspan="4">茶　　敍</td></tr>
<tr><td rowspan="2">第五場
15:50～16:30</td><td rowspan="2">國際會議廳
509室</td><td rowspan="2">報告</td><td rowspan="2">金榮華</td><td>趙振績</td><td>契丹與西夏族系之關係</td></tr>
<tr><td>黃慶萱</td><td>轉化論</td></tr>
<tr><td>第六場
16:30～17:00</td><td>國際會議廳
509室</td><td>座談</td><td>金榮華</td><td></td><td></td></tr>
<tr><td>第七場
17:00～17:30</td><td>國際會議廳
509室</td><td>閉幕</td><td>傅武光</td><td></td><td></td></tr>
<tr><td>17:30～</td><td>都美餐廳</td><td colspan="4">聚　　餐</td></tr>
</table>

楊家駱教授九十冥誕紀念論文集

編　　者：編委會
發 行 人：許錟輝
出 版 者：萬卷樓圖書有限公司
台北市羅斯福路二段 41 號 6 樓之 3
電話(02)23216565・23952992
FAX(02)23944113
劃撥帳號 15624015
出版登記證：新聞局局版臺業字第 5655 號
網站網址：http://www.wanjuan.com.tw/
E　-mail：wanjuan@tpts5.seed.net.tw
經銷代理：紅螞蟻圖書有限公司
台北市內湖區文德路 210 巷 30 弄 25 號
電話(02)27999490
FAX(02)27995284
承印廠商：晟齊實業有限公司
電腦排版：浩瀚電腦排版股份有限公司
定　　價：300 元
出版日期：民國 90 年 5 月初版

ISBN 957-739-351-9